海外漢文古醫籍精選叢書·第二輯

2011—2020年國家古籍整理出版規劃項目
中國中醫科學院「十三五」第一批重點領域科研項目
——我國與「一帶一路」九國醫藥交流史研究（ZZ10—011—1）

蕭永芝◎主編

新鐫海上懶翁醫宗心領全帙 柒

（越）黎有卓 撰

北京科学技术出版社

圖書在版編目（CIP）數據

海外漢文古醫籍精選叢書·第二輯·新鐫海上懶翁醫宗心領全帙　柒/蕭永芝主編．—北京：北京科學技術出版社，2018.1
ISBN 978－7－5304－9228－4

Ⅰ．①海…　Ⅱ．①蕭…　Ⅲ．①中醫典籍—越南　Ⅳ．①R2-5

中國版本圖書館 CIP 數據核字（2017）第208341號

海外漢文古醫籍精選叢書·第二輯·新鐫海上懶翁醫宗心領全帙　柒

主　　編：蕭永芝
責任編輯：張　潔　周　珊
責任印製：李　茗
出 版 人：曾慶宇
出版發行：北京科學技術出版社
社　　址：北京西直門南大街16號
郵政編碼：100035
電話傳真：0086-10-66135495（總編室）
0086-10-66113227（發行部）　0086-10-66161952（發行部傳真）
電子信箱：bjkj@bjkjpress.com
網　　址：www.bkydw.cn
經　　銷：新華書店
印　　刷：虎彩印藝股份有限公司
開　　本：787mm×1092mm　1/16
字　　數：482千字
印　　張：41.25
版　　次：2018年1月第1版
印　　次：2018年1月第1次印刷
ISBN 978－7－5304－9228－4/R·2389

定　　價：980.00元

海外漢文古醫籍精選叢書·第二輯

新鐫海上懶翁醫宗心領全帙　柒

（越）黎有卓　撰

新鐫海上醫宗心領全帙卷之三十五

夢中覺痘乙卷

目次終

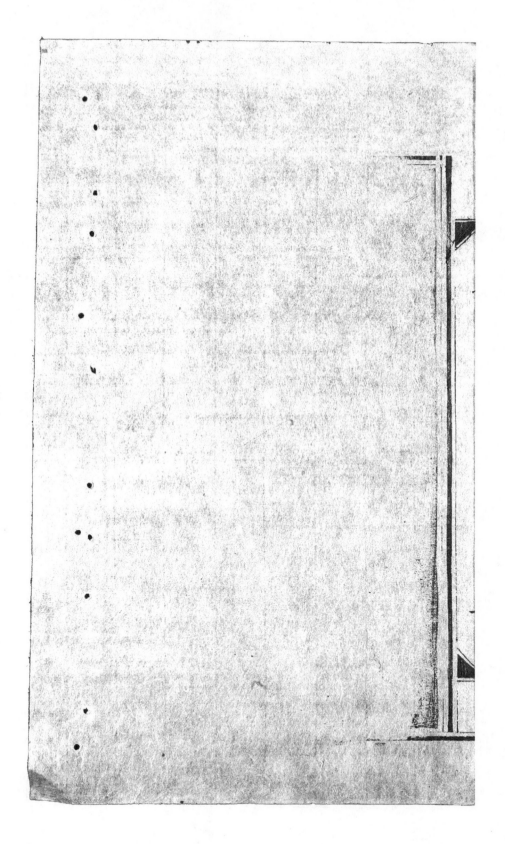

夣中覺痘乙卷

海上懶翁纂輯

後學唐郿武春軒奉較

脉法諺條三　一脉總六部不越表裏陰陽左手脉之大小以分血之盛衰右手脉之大小以分氣之盛衰七歲以上五至為平七歲以下六至為平過則為數邪氣實也不及為遲正氣虛也人迎緊外感也氣口數内傷也浮而數表熱也浮而遲陽氣衰也沉而緊裏熱也沉而細

元氣脫也然痘疹爲陽病故脉浮沉俱宜暑帶共寔偏弱而無力則爲陽而見陰脉必凶之兆至若浮而無根數如雀啄細而欲散縈縈如蛛之絲遲而欲絕滴滴如屋之漏沉而辰見如魚之躍者是皆死脉也脉訣曰阿阿緩若春楊柳此是脾家居四季盖言六部陰陽皆宜要有胃氣胃乃元陽之子五臟六腑之本耳故脉靜身凉神寧者生脉躁身熱心煩者死然六部之外又有冲陽脉者胃脉也在足大指次指之間陥上三寸動脉是也太谿脉者腎脉也

在足內踝下動脈是也胃為主腎為根此二脈關緊最重倘至六部無脈生死難辨宜急於此軫視若悠悠條理不斷不急元氣尚在猶有生意可救而活也若此二脈先絶雖六部脈猶存亦爲古候復以二脈較之則太谿尤重於冲陽雖症以視形察色爲主然非診何以决臟腑寒熱虛實情而施治療之無誤也

一凡見發熱宜先察脈既熱則脈必滑數但微見滑數有神而不失和緩之氣者其症必輕而少若滑數加倍

而猶帶和緩者痘必多而重尚亦無害若沉數甚又兼弦躁或兼乳急無神而全無和緩之氣者其痘必甚而危故於初熱可預知其吉凶也

一凡痘自發熱至起脹毒從内出陽之候也脉宜浮大而數不宜沉細而遲自灌膿收靨以後毒已外解陰之候也脉宜和緩不宜共數更要和平有神切忌虚大無力又曰痘之脉中和者貴不可過於躁疾微小蓋滑數浮共爲太過爲寔邪氣寔也弦遲微弱爲不及爲虚正氣虚也及太過不及之脉而中無和緩之氣是死候之脉故曰

人無胃氣則死先師曰脉為臟腑虛寔之據氣血強弱之徵水火盛衰之驗故痘尤要據脉而施治蓋痘瘡之發多由於跌仆驚恐傷風傷食感觸蘊毒一經病後元氣已傷故貴守以脉消息凡六脉共大有力者則從古法以解肌若脉沉微無力者非毒邪之內伏乃氣虛不能逐毒則惟温中以托裏芪术歸苓天虫蟬蜕炙草桔梗煨姜膠棗使中氣不餒氣血鼓舞則逐毒有力起脹灌漿不謀而自至若夫脉弦數無力者非毒火之有餘乃真水

之不足則惟爲壯水之中乃佐補火之藥火盛者庶地丹皮佐以牛旁紫忭升葛火假着地菜丹伏佐以誹桂鼓舞呈形蓋藥辛溫鬆動之味使嘘濡有力而自出自化也

治法總論 該二十二條

先師曰痘瘡之出全賴正氣充托達表也痘瘡之膿全賴氣以煦之血以濡之煦之濡之者不獨氣血爲用更有真水真火以爲氣血之根而後煦濡有力克成氣血之德也痘瘡之收旣賴土德化毒之功復寫萬物歸藏之理故氣血爲標而水火土乃其本

也且諸瘡腫毒非氣血不和所致即暴受客熱而成並無傳經定限故可遷延歲月或調和氣血而形腫內消或解毒清凉而膿血勿潰至於痘瘡得於生身之始根於腎發於心傳於肝脾肺刻期成限十四日之中自頭面以漸而下見點起脹灌漿收靨而後已寧有內消者乎寧有不成膿者乎故必調理氣血送毒出表充托成膿則毒化於外還元於中雖有寒邪外犯無足慮也是以治痘者須於七日以前如花之始蕾而發其勢日盛氣

應於上之寺則助氣血以令頭面灌漿氣交於中之寺則助氣血以令胸背灌漿氣交於下之寺則助氣血以令腿足灌漿借毒火之運行而充灌成膿自易矣有此藥力以代氣血充灌之用則膿成之後氣血無傷精神如故也若不調補氣血妄行解毒清凉延緩寺日一至七日之後如花之氣斂而謝矣氣血日衰而降復欲升提氣血以達頭面行漿不亦晚乎況氣血日衰而充灌自難毒火無從消化重則內攻臟腑輕則变生諸症

上古嬰兒天禀有餘故古方惟爲疎表清裏以圖易出易解盖因氣血充足不必爲之貽顧也近世要兒受質囂離雖名純陽之子寍知陰既未足而禀陽亦虚當此先天之症發露而陰陽兩虧者甚多難出難漿若始也徒以疎表為事則表虚者不能約束壬其一湧而出則氣血充灌不同定有難漿難靨之患裏虚者中氣愈餒無力載毒成形昧者重用毒藥迅攻寔同無米炊飯之象非轉虚而成内潰即奔潰而為蚕重蛇皮至於膿也

惟圖清解爲事則陽虚者氷伏於中陰虚者枯涸於表
水火不行無形之化氣血難成有質之功况禀薄之孩
兒不耐疾病一經發熱數日元氣已傷於中再加疎表
攻托血氣潛耗痘之少者雖虛而無傷乎性命痘之密
者愈損而絶其生機豈不悲夫
一痘險中之最險者則在元氣與邪氣邪氣雖强元氣
亦彊者無害只恐元氣一餒邪氣雖微者亦危宜須先
識死生辨虚寔審寒熱明此六者而已出景岳以下

一治痘之要惟邪正二者凡邪氣盛而無制者殺人正氣虛而不支者殺人故治者當知補瀉二字而用之無差則盡善矣必不可使藥過於病亦不可使藥不及病善用攻者不伐人元氣善用補者不助人邪氣務使正氣無損而邪氣得釋能執中和則爲高手然執中之妙當識因人因症之辨蓋人者本也症者標也症隨人現成敗所由故當以因人爲先因症次之若形氣本實則始終皆可治標若形質原虛則開手便當顧本若謂用

補太早則補住邪氣此愚陋之見也不知補中即能托毒灌根即能發苗萬無補住之理是以發原之初最當著力若不有初鮮克有終矣

一治痘之法不可過用溫熱猶以火濟火致變紫黑倒陷癰毒吐衄不可妄用芩連知栢寒凉大傷脾胃為吐為瀉為戰寒內陷故於六日之前不宜溫補亦不宜妄用寒凉先師云解毒之內畧加溫補溫補之中畧加解毒此不傳不刻之秘訣也若六日以後毒已盡出於表

當温補而不温補者膿不得壯而癟塌戰寒之患必不能免矣先師曰外科云癰疽乃破漏之病最能走泄真氣況痘瘡逐處破漏心鑑一書諄諄以顧元氣為主昧者輕用荆防羌獨疏散為事表虛則中氣愈傷初則無力逐毒達表繼則不能充灌成寔輕用犀角地黃清涼為事裏虛則血滞脾寒初則遏阻毒氣在内繼則冰伏不能薰長輕用穿甲牛虱以毒攻毒為事則正虛者無力担當奔潰而出中氣愈虛初則蠶重嬉窠繼則虛捲

空殼水泡清漿勢所必至矣

一痘瘡前後總有危症勿用天靈蓋鵬射之屬攻之蓋毒出一步則內虛一步氣血運一日則內耗一日豈可用辛香耗氣之劑雖僥倖偶中後必有餘害是可見王伯之殊也出景岳

一治痘須辨其症大都濕則多泡血熱則癍氣不足則頂陷血不足則漿毒不附裏寔大補則生癰毒表寔大補則不結痂裏虛不補則內攻而陷表虛不補則外剝而枯但使氣血周身活潑無碍則雖密亦不難治故惟

貴得中勿使偏勝則寒熱虛實自無太過不及之患斯可矣忠景註
一初發熱宜乎表虛則痘易出而疎朗勻淨故用蘇葛
以開腠理既出之後又宜表實則易起易回而無癢塌
倒陷之變故用參芪以實腠表然參芪用於起壯之時
則芪宜多而參宜少以補表重而補中輕也若用之於
結靨之時則參宜多而芪宜少以補中先而補表次也
但痘以頭面為主故用參芪而必佐以芎防等品是欲
引其上行之義耳程氏曰治痘之要始出之前宜開和

解之門既出之後當塞走泄之路痂落之後清凉漸進
毒去已盡溫補宜疎
一痘初熱與將出之際切不可輕用寒凉解毒之方以沮
其毒非徒無益而反害矣豈若諸瘡初發以解毒內消
而可愈乎蓋痘本胎毒伏於腎臟最深惟藉氣血送出
于皮膚運化於囊窠成膿收靨而後已况解毒之藥多
傷胃氣損氣血且毒又有不必解者有不可解者若以
兒稟賦強壯胃氣強飲食如常者其氣血自旺自能送

毒氣以成功其痘自始至終多順症此不必解毒者也若禀賦素弱脾胃又弱痘寺飲食又少或渴或瀉或腹脹手足冷氣短失音出不快色白頂陷不灌不結皆由氣血不能送毒此不可解毒者也當速用温補以扶胃氣助氣血若用參芪歸朮等而力不及卽加丁香木香桂附等佐之亦不爲過豈可參入寒涼之藥以損氣血守惟結痂之後有餘不盡之毒假藥力以解散之免其爲癰爲疽庶或可耳

一解痘當知表裏所謂毒者火也所謂解毒者求其所在而逐之也蓋痘之發內則本於淫火外則成於風邪內外相觸其毒乃發不甚於內則甚於外甚於內者以火邪內盛而熾焰於外也甚於外者以寒邪外閉而鬱火於內也故但察其無汗外熱而邪在表者則當疎之散之使熱邪從外而去則毒亦從外而解矣若察其多汗內熱而邪在裏者則當清之利之使熱邪從內而泄則毒亦從內而解矣其有內熱既甚而表邪仍在者則

當表裏相參酌輕重而兼解之則邪俱散矣若邪不在表則不可妄兼發散以致表氣愈虛而痘必終敗其症則身有汗而外不甚熱者是也若毒不在裏則不可兼用寒凉以致中寒脾敗而毒反必陷其症則口不渴而二便不秘者是也知斯五者則解毒治痘之法無餘蘊矣此外有虛邪虛火等症則當先元氣次察邪氣無使失樽中流顧本不及則尤為切戒　出景岳以下

一云痘毒者必自內達外但得出盡則內無毒但得化

盡則外無毒旣出旣化而不使復陷則毒盡去矣故或宜散表或宜托送或宜清解或宜固中而治法盡之矣萬氏曰解其火毒恐欝遏而乾枯養其氣血欲流行而舒暢按此說誠善矣然所謂火毒者以寔熱爲言夫火有虛寔真假不得槩認爲火毒亦謂無遺

一凡表熱盛則瘡必乾枯表太凉則毒必氷伏内熱盛則結秘内太凉則泄瀉氣壅盛則腹脹喘滿若熱毒爲所抑而不得升越則腹脹悶亂毒氣彌盛表裏受重而

嬰童雖壬矣故治痘之法在於發表和中匀氣透肌解毒五者而已得其表則無乾枯冰伏之患和其中則無秘結泄瀉之虞使其裏氣常寔氣血內旺脾胃自強以助其成自無癢塌倒陷矣均其氣則無壅盛喘滿之過透其臟使熱毒伸越達表而不致留伏於中解其毒使內外有所分消而無流毒遺害之患五者不失則血熱壅過之症不憂矣然火性最疾宜急解毋容少緩也

一治痘熱當知微甚及其有毒無毒斯無謬矣蓋痘瘡

屬陽宜乎發熱若外雖發熱而內不渴或飲食二便如常蒸痘之熱耳熱雖在表而內則無病萬萬不可妄治其有熱之甚者痘毒必甚此不得不為調理若甚於發熱之初必為之表散若甚於見點之寺必為之清解錢氏曰熱甚而大小閉則利之如果有熱毒寔邪則不得驟用補陽等劑致令毒氣壅盛則熱終不退反為害矣

一治法各有標本先後緩急與兼治之分自人身而言則氣血為本痘瘡為標自痘瘡而言則痘瘡為本別症

爲標如瘡子稠密標也氣血又虛本也則當匀氣活血兼行解毒又如瘡勢繁密本也更以痢不止標也只宜托裏解毒爲主若瘡勢太甚本也咽喉腫痛標也只宜清利咽喉爲主若瘡勢太甚本也自利頻頻不止標也只宜治自利爲主若瘡痘繁密本也大小便閉煩燥喘呼標也只宜以利下爲主此四者急則治其標也若痘已發起標也氣虛則補氣血虛則補血本也此緩則治其本也若瘡勢太甚本也煩渴不止標也則以解毒爲

主而兼治其渴此先本而後標也若痘陷本也泄瀉標也則先救裏而後攻表此先標而後本也

一痘症氣虛有為飲食生冷調理失宜致傷脾胃遂成泄瀉是以津液下陷虛火上盛必發而為渴與喘也本寔症也然起於泄瀉之後者此是津液暴亡而渴氣虛而喘豈有寔熱而渴氣壅而喘生於泄瀉之後哉故治渴宜參苓白朮散木香散如渴瀉不止則投異功散治喘則宜人參定喘湯如喘渴不止者則投木香異功散若悶乱腹痛是毒戚内攻眼合自語則已多失志尚認為寔何其愚哉

一痘虛症始終必以元氣為本惟宜寔腠理而固肌表則外陷之禍不足慮也節飲食而保脾土則下陷之患不足憂也再加參芪補益之功則元氣自然充寔起灌收成一向順矣故最忌大黃滑石車前生地鼠粘紫草枳殼之類恐其寒涼蕩滌脾胃一傷則元氣自此而下陷氣脫内攻而死又切忌人牙蟬蜕麻黄葛根防風荊芥姜活之類恐其發散太過表氣一虛則元氣由此而外耗塌痒外剝而死誰之過歟

一痘出已盡內無不虛蓋隨痘而為托送者皆元氣也使於此時不知培養化源則何以灌漿何以結痂何以收靨倘內虛無主將恐毒氣伏陷無不危矣若痘稀少者則氣血之耗猶有限若多密者氣血內虧必甚此不可不預為防也

一痘本熱毒務使陰陽得所氣血和平毒化而熱亦解矣若果有寔熱壅遏之症只可清涼升提發散不宜峻用苦寒清涼則血熱自解發散則痘點自呈升提則壅遏自舒然宜得平乃止若多用寒涼則內傷脾胃外冰

臟肉如過加發散則臟腠空虛元氣耗散若症成氷硬則藥宜温和姜桂之熱亦所不忌若症有泄瀉則熱氣自散真氣自虛則藥温宜益况氣虛必寒温補無疑矣然有未經泄瀉而在三四日後身反不熱痘自不長固宜急進温補如官桂川芎乾姜之類使中氣一煖而自能充皮毛温肉分也若夫泄瀉之後其内必虛雖有腹脹煩渴喘急等症此非寔熱乃内虛伏陷毒攻而然即有寔熱之症於七八九日曾經泄瀉者亦皆從虛治如

未有木香異功之症便進木香異功此非治病之常法乃劫病不得已之權宜大凡痘無氷硬勿投温補無泄瀉勿用異功即有泄瀉而無木香異功之症勿妄投木香異功蓋痘多原於熱毒至如陷塌倒靨乾枯而無氷硬泄瀉之患者是又多因熱毒内攻而然此又當以百祥豬尾等方治之奈何後學宗陳文中則偏用木香異功峻熱之藥宗劉河間張子和則專用黄連解毒寒凉之劑此不知古人因寺處方耳君子誠能聽度寒暄推

詳脉候而視疾爲轉移則攻補適宜矣
一痘中有雜症不宜峻治盖雜症瘥日無定痘瘡曆日
有期若治雜症一寸則痘症落後一丈治痘不可遠限
痘之毒不解則一病不去痘之毒一解則百病自瘥雖
然更有輕重標本痘症重而雜症輕則以雜症藥加於
痘症藥内此緩則治其本也雜症重者先治雜而后調
其痘此急則治其標也故酷暑加凉嚴冬施煖順天和
也久雨元陽久旱元陰而氣血自病須因寺制宜也

一汗下二舉乃不得已之所投故曰首尾皆忌汗下此治痘至要之旨如痘症原無閉塞表熱不快之症妄汗者必傷陽在後必成癰爛音啞皮薄痒塌起灌收成之力皆失此表虛之爲害也如原無便閉熱毒紫黑之症妄下者必傷陰在後必陷伏不起胃弱灰白臟腑化源皆敗此裏虛之爲害也然表虛者猶賴裏氣完足可以充之裏虛者則根本内潰衛氣亦從而陷無藥可施矣故古人深以爲戒可不謹哉

一治疸亦有微汗微下之法者此不得已以為封病從權應變之計也設遇外感寒邪腠裏閉密出不快發不不透與表熱方熾紅點未見之先影色不見之際煩燥腮紅者苟不用辛甘發散之劑通達機表以防壅遏之機未免閉門留寇之患况火鬱則宜升之如升麻葛根湯參蘇飲之類以減其盛勢也若既見紅點則忌葛根以疎表太過也然表寔者亦用無妨也又若凡疸未出脉數洪大氣粗腹脹二便秘結而毒有久留不達者轉增煩渴譫妄昏沉

毒畜於腸胃之間苟不與苦寒泄利之藥以疏通臟腑則有脹滿煩燥焦紫黑陷寧無養虎遺患之虞乎故當察其虛寔審其常変當汗則汗當下則下中病則已若無汗下之症切不可妄用殺人當壬其自然惟加安養以收全功一平順之痘原不必治奈父母愛子之切延醫診視既延醫至無不用藥既已用藥無非寒凉在彼立意不過但解其毒自亦何妨不知無熱遭寒何從消受生陽一扳胃氣必傷多致中寒泄瀉猶云挾熱下痢更益芩連

最可恨也又如痘初發熱每多不審虛寔只云速當解毒凡十日之外多有泄瀉而致斃者皆此輩殺之也一兒有不肯服藥者奈病勢猖狂非藥力不能驅逐痘虛寒者尚可綿延數日寔熱者火性急速藥不可緩宜重劑濃煎只用頭服則藥力亦能勝病至於乳母亦宜服大劑使乳汁亦有藥力

氣血總論虛寔見症治法

該十二條

一氣體天而親乎上血體地而親乎下痘之始終無非藉氣血但得氣血充暢

則易出易收氣血不足則變症百出故治痘者當先顧氣血然氣屬陽無形也血屬陰有形也是以氣主標血主本氣主發血主收氣主形血主色氣主橐籥血主根基故氣能起脹以主郛廓血能灌漿以成飽滿然血無氣不行氣無血不止氣至而血不隨雖起發而灌必不周血至而氣不至雖潤澤而毒終不透故臨症不可不兼顧也一火毒亦由氣血之中而發而解故痘假於氣血以成其形也而元氣又為氣血之主元氣盛則氣血運行雖

痘毒感發而氣有領逐之能血有負載之力氣拘血附並行驅毒痘瘡必應期而開落以其皮毛克肉分温而毒運行自快也苟使元氣一虧則氣血交會不足氣在内而外不固血即載毒以出而為外剥氣在外而内不續血即載毒以入而為内攻此陽道虛陰往從之陰道虛陽往從之之理也譬如元氣者主帥也氣血者卒徒也痘毒者敵人也主将得人則卒徒用命而敵自破也不然鮮不肆害於吾之土地故智者補益真元調理氣血而治痘也

一痘瘡一症始末俱賴乎氣血溫毒之攻侮非氣血不能以表暴形色之呈現非氣血不能以周綫囊廓之佈列非氣血不能以充滿也是以氣血不可相離陰陽不可相犯雖痘伏於腎發於脾然所以建功成実者氣血也氣以成痘之形氣充則頂起圓暈血以萃痘之色血盛則根窠紅活然氣為之主血為之附必氣血相和於內則痘毒發揚於外是為氣血交會者也元氣固則陰陽交濟而無間斷自能拘血附位而成功也是以榮衛

者氣血之德也氣血者瘡毒之廬也瘡毒者氣血之賊也榮衛德盛則力戮其賊而廬舍全榮衛德衰則賊肆其虐而廬舍剥血不能載則塌氣不能拘則陷也

一脾胃者氣血之父也心腎者氣血之母也肝肺者氣血之舍也脾納水穀其悍氣注於腎而爲氣舍於肺而爲衛以温肉分充皮毛肥腠理司開闔也脾納水穀其精氣注於心而爲血舍於肝而爲榮以走九竅注六經朝百脉也若氣虛則爲白爲陷爲灰色不起發頂有孔

不堅寔頂陷不凝手為出水癢塌不起脹寒戰咬牙浮
腫瘡殼不靨不落肌表不固膚腠不通皮薄而軟吐瀉
自汗手足冷氣過盛則發為泡氣不及則頂陷不起此
衛氣虛則瘡不起發其毒乘虛而入於肺肺受之則為
陷伏而歸於腎矣若陰犯陽則氣失其平而有焦紫疔
癰之患血虛則為紫黑乾枯無血無膿黑陷腫痛牙疳
疔瘡癰疹津液不達痘後餘毒血失職則為滯為倒靨
或紫赤浮於肌表而不藏入於泡內血虛則為淡白為

根窠無暈或紅而散亂以手摸過而紅色不見而為白者血熱則根焦紫黑血熱而氣滯則頂陷而紫黑此不可以氣虛而誤用補劑但宜活血涼榮解毒為主血活則氣行也血過盛則為癰痈血不及則漿毒不附此榮血虛則瘡不光潤其毒乘虛而入於肝肝受之則為癢塌而歸於心矣若陽凌陰則血逐於邪而致煤灰塌陷之危

一縷熱之寺色將放標其熱緩氣平二便如常兩頰不甚赤六脉不甚其見點累累根肥頂尖色甚紅活者此

氣血調和之候也自一日至二三日口無臭氣色澤光亮以手按之堅欒可數日長一日身無瘢點根脚不散者是雖有咳嗽噴嚏呵欠驚悸之候亦氣血冲和之症自四日至六日勢如桃蘂著露錠然可愛饑不甚腫飲食如常此氣血充潤之候也自七日至九十日光潤如珠漿亮神旺頂足盘紅身雖熱而不煩口雖渴而不瀉者此氣血安祥之候也自十日至十二日依部結痂蠟色有神二便調寔者此氣血堅凝之候也自十三日至

十六日聲朗目開痂毒盡脫熱亦漸退者此氣血還元之候也此皆氣血充裕之吉兆也
一如起脹之日而平塌嫩薄乾枯紫黑吐瀉不寺驚搐顛悶或癢或泡如充灌之日而漿清頂陷根脚散漫飲食不進熱極神昏灰白無膿或焦枯肉腫如收靨之日而不能結痂瀉痢頻作聲啞氣促嗽喘不食者此皆氣血為病榮衛不同陰陽失序必致內攻之禍也
一氣不可虧虧則陽會不及而痘之圓暈之形不成血

不可盈盈則陰乘陽位而症之倒靨之禍立至然血之
有盈乃氣之不足也大抵寒爲虛虛者正氣虛也內症
必多熱爲寔寔者邪氣寔也外症必重氣虛寒則宜溫
補氣寔熱則宜清涼血虛則宜補血血熱則宜解毒要
氣血和平無太過不及也痘瘡倚重在氣血治宜調補
血生則內固氣益則外旺榮血得以隨氣之情培根於
內衛氣得以順血之情保障於外若以諸瘡皆屬心火
而以寒涼瀉心爲事則血凝毒滯心爲君主何能運一

身之血以成功故氣病治氣血病治血寒則温之熱則清之虛則補之實則瀉之仍以脾胃爲主而不可犯之凡寒凉解毒傷胃瀉心之藥不可輕用也

一有氣血兩虛之症者氣虛則精神倦怠此氣不充也血虛則面清皖白此血不榮也治宜補氣不補血蓋氣有神而無形補之易充血有形而無神難收速效況陰從陽長氣盛則血亦旺耳且氣虛之症最易發瀉而補血之劑性能潤燥滑下多用恐致泄瀉補血之效未得

而氣虛之害益深也然有白陷不榮之症不得已而用歸芎與痘點繁紅之症不得已而用紅花紫草生地並宜酒炒以抑其潤下之性借酒力而行之達表則補血凉血之中猶有升發達表之妙庶無滑瀉之患若夫治血熱者則不拘以酒炒與夫陰血大虛者亦不可拘以陰從陽長而獨補其氣恐衛分獨盛得自專其振作而爲空殼之患況陽藥本礙於陰血反益其枯涸矣

一血熱症須分虛實有血虛之血熱宜凉宜補有血盛

之血熱宜凉宜活古人未之從何也凡症初起點內熱殊甚脉息共數而痘色則白不知者認為氣虛則誤矣此乃氣盛血虛之血熱故不能華色以同毒出外氣有餘而血不足故形起而色白也然血虛則熱故發至血八症窠三四朝来皆变紫黑或見黑痂方知血熱欲治何及故不可不知及不可不預為地步是以治血虛之血熱症大宜凉血兼補血蓋此症常多熱勢雖清無血灌漿而成乾陷惟血盛之血熱者則起勢便紫了然血

熱之症分明是以治法大宜獨與凉血而用治之法其凉血劑中尤宜升托否則血凝毒滯矣

一氣虛兼血熱者則血熱易於乾紫故凉血法所必宜而氣虛又難堪峻攻托尤宜倍常但六日前血熱症猶在尚有火勢其症似寔治至血熱漸清則症日復漸虛而且日復漸寒泄瀉寒戰勢所必至故始惟宜清托追至看来血熱之勢退一分即須與氣虛之症做一分地步矣凡有傷脾動氣之品不可徒顧目前而用一至

血熱將清氣虛已甚者便宜涼血劑中佐以人參補托无須用藥配治為妙可急則急可緩則緩在人之神巧得之於心應之於手太早則助熱為殃畧遲則補虛不及每有直至寒戰泄瀉並見投以補劑無如服後即瀉瀉後又服藥力難停於中功效難應於手此遲滯者之罪也復有血熱稍清氣虛未甚榮衛方和有緩白色行漿之勢治者即用參芪峻補以致反生熱勢內則咽瘖音啞外則乾紅倒塌此太早者之罪也故凡治氣虛兼血熱

症候用清托藥宜兼補托藥應投之際大宜審究精詳稍有太過不及便有死生兩路至於人大氣虚痘密毒多血熱勢清而氣虚則甚者若應大用参芪便每日人参兩許亦爲常法但必兼以托裏如天虫角刺之味或佐以姜桂鼓舞之功方可縱毒外走而痘得充灌之益否則補中固宜而外達則緩如應大用参芪持疑减少則正不勝邪焉能抵當其毒服藥後雖暫有應驗但力薄難久少頃則平塌如故不過延緩旬日焉能化毒成

功故元氣少虛者參芪雖少正氣自能叶運藥力而周行以建功若元氣大虛者無力帮扶全賴參芪勢大再得姜桂鼓舞方能運行獲效所以有少則壅滯之語也

若氣虛而肺火旺者用參勿用芪可也

一治痘之要惟有氣虛血熱二症血熱者涼血氣虛者補氣人固知矣殊不知痘之為症蓋先由陰經後而傳陽分是以血熱之症初發雖宜涼血然即以寒涼之劑一加則痘氷伏於腎而難出矣故必先以清涼升提發散

使毒出陽經傳於陽分而後以清血涼熱之劑治之至如氣虛之症既現雖宜補氣亦必俟其毒將解時而補其正氣以制之即少變白色亦未可遽用蓋白者毒未解也若即投之則得補愈盛反助乾枯燥涸之勢阻其行漿生痂之機待至色化微黃則大劑參芪方見神效惟有氣弱而不能出者當微補其氣氣和則出快矣即補氣之藥又〔當〕兼以托表也蓋此氣弱而不能出者則不過僅是氣弱而不能載而原非毒盛難釋肆其猖獗不

肯出也故少一助之則如久旱之苗得甘霖而自長若因水虧金燥臟漿無自而成者尤宜先為養血調榮蓋毒之化假乎漿而漿之成由乎血血難旺於斯須也若不究氣虛血虛而以參芪則燥枯者愈燥枯矣俟至血旣滋榮此起脹之後臟漿流動而參芪補托之劑又宜接續勿間矣經曰方其盛寺必毀因其衰也事必大昌惟接脉無力及痘多而氣血不足者最宜預為溫補方能發熱行漿若至虛極变生諸症而後補之已無及矣程氏

曰痘瘡自六腑出先陽分而後歸陰經其本屬陽故多發熱而陰血虛耗者多矣首尾當滋陰補血為主不可一毫動氣貴從緩治所以白朮半夏之躁悍升麻之升提上冲皆不可輕用也且痘瘡多有血熱者固宜四物加芩連之屬以養其陰而退其陽也

一補虛當辨陰陽蓋痘瘡氣血各有所屬然痘之所生尤惟陰分為重何也蓋痘從形化而本乎精血凡其見點起脹灌漿結痂無非精血所為此雖曰氣為之帥而寔

血爲之主其瘧本陽邪陽盛必傷陰所以治瘧者最當重在陰分宜滋潤不宜剛燥故曰補脾不若補腎養陰所以濟陽此祕法也然氣血本自互根原不可分爲兩如參芪白术之類雖云氣分之藥若用從血藥則何處不補血歸芎地黃之類雖云血分之藥若用從氣藥則何嘗不補氣故凡見氣虛者以保元湯爲主而佐以歸地血虛者以四物湯爲主而佐以參芪蓋氣血本不相離但主輔輕重各有所宜而用之當否則明拙自有差耳

表裏總論虛寔見症治法 該十三條

一察症之要惟在虛寔二字有以形之肥瘦別虛寔脉之強弱別虛寔血之多少別虛寔又如諸痛為寔然瘡痛者邪氣寔也當活血以開其鬱諸癢為虛然瘡癢者正氣虛也當補氣以燥其濕蓋寔者邪氣寔也邪氣寔者宜清宜瀉虛者血氣虛也血氣虛者宜溫宜補且痘本胎毒非藉元氣不能達不能收故欲解毒清火亦須憑藉元氣使元氣無力則清亦不能清解亦不能解設有不支尚能堪此清解

乎此痘之始終皆當斟酌元氣爲主
一痘瘡表實裏虛者必易出難靨表虛裏實者必難出易靨若表裏之氣俱充實其瘡必易出易靨故自始出以致十日之外外則渾身壯熱內則飲食二便如常此表裏俱實也其瘡必光澤起發肥滿且易出易靨也凡痘瘡表裏皆有虛實虛則寒實則熱寒爲陰症熱爲陽症寒則氣凝血滯而不彰熱則氣血棹〔澤〕而不斂然熱症多實最忌蔘朮桂附及諸熱燥之物若元氣虛弱者卽

有熱症總不可執為寔熱寒症多虛最忌芩連知栢及諸苦寒之藥雖形體強盛但見虛脉虛症總不可誤作有餘

一表虛者則症見惡寒精神怯弱或身不大熱或寒熱往来四肢厥冷或身有寒慘凌振之狀或面青色白多汗惡風或怠惰嗜卧或痘色灰白頂陷不起發出不快或倒陷乾枯不光潤或色嫩皮薄痒塌或如水泡摸不碍手或根窠不紅或倒靨不能結痂其脉浮細而弱

一表寔者則症見身體壯熱無汗或翕翕發熱往来不

定為面赤唇紫頭疼身痛眼紅鼻塞皮焦膚赤手足熱甚爲痘色紅紫掀腫疼痛頭面紅腫紫黑焦枯乾滯為皮厚而硬爲癰腫癍疔痛甚其脉浮共滑大

一裏虛者則症見於瘡痘未出已出之間有為吐瀉嘔惡或熱飲食腹痛寒戰咬牙食少不思飲食欲飲不飲或食不化二便清利爲溏泄穀不化不渴氣促聲微神昏多睡身體凉手足口氣俱冷唇白涕清腹澎噯氣呑酸瘡色灰白寒慘不起其脉沉細而遲

一裏寔者則症見瘡色焦紫喜冷處蒸蒸作熱手足如
烙二便秘結或不通胸膈脹滿唇燥咽乾喉痛鼻乾口
瘡舌黑大渴咳嗽痰涎喘粗煩燥驚狂聲高譫語内熱
自汗衄血溺血其脉沉數共滑
一若形體羸瘦素多疾病飲食減少六脉微弱吐利頻
頻瘡色淡嫩者此表裏正氣俱虚也治宜温補
一若瘡勢太盛掀腫痛脹大熱不退煩渴骨睡二便秘
者此表裏邪氣俱盛治宜凉瀉

一若瘡本稠密掀發紅活而利吐不食者此表寔裏虛宜於補湯中而加解毒之藥

一若瘡色淡白發不透滿二便秘澁飲大嚼此裏寔表虛也宜於解利中而加升托之藥

一凡寒熱虛寔等症雖表裏之分各有如此然表之寒熱虛寔莫不由於中氣之所使故惟善治中氣則未有表不調和也是卽必求其本之道凡表虛者治宜溫補陽分表寒者治宜補陽溫表裏虛者治宜溫補陰分裏

寒者治宜温中補陽表寔者治宜清解表邪切忌黄芪
寔膝之藥表熱者治宜散邪解毒裏寔者治宜清解裏邪
裏熱者治宜清熱解毒裏熱必致燥其陰血治宜活血
凉血切忌參朮助脾補氣
一表裏虛寒之症宜急温脾胃補氣血當用參芪四物
木香肉桂等藥以助灌膿收靨然表虛者以補氣為主
而補血次之蓋血之載毒於外必由於氣以拘血苟非
氣以制血則血必泛溢不附毒斯下陷内攻之患立至

矣裏虛者於補血之中而兼補氣苟能補氣則脾胃乃壯衛氣隨暢自然起發在後必無陷伏之憂既能補血則氣血週流送毒出盡不致凝滯在後必無痲塌之患然補氣之中更宜加以行氣則氣不滯補血之中宜兼以活血則血不痲蓋欲血流行而不滯必藉氣以之運也

一表裏寔熱之症急宜涼血解毒當用化毒湯紫花紫草生地黃連荊芥之類但表熱者則宜清涼解表而分利次之裏熱者則重於解毒而兼清涼若在二三日之

前熱毒甚者則微下之亦可蓋涼血則無紅紫觧毒則免黑陷表虛不補即成外剝裏虛不補即成内攻表寔過補則不結靨裏寔過補則發癰毒然有似虛而寔有似寔而虛如痘不起發色不紅活回似虛微若躁渴内熱二便俱難此又當為寔治所以痘症变遷無常若色一轉又當变通不可拘於一定也張翼之論吐瀉少食為裏虛陷伏倒靨灰白為表虛二者皆見為表裏俱虛用異功散救之甚至桂附靈砂亦可服若能食便秘而

潛伏倒靨者爲裏寔輕則射干鼠粘子湯一四重則前胡枳殼湯十三下刺多血能寔者爲裏寔若寔其裏則結癰毒紅活錠寔爲表寔若補其表則潰爛不結痂

治觸變諸症 設七條

一痘因觸变瘡色焦紫忽然喘急用絲瓜皮爲末蜜調入甘草地黄湯一服痘寔起有譫語磨犀角調服絲瓜皮須要先取焙乾臨用只取皮蒂爲末

一觸变灰白梟痒難忍者用大附黄芪治之若得盘紅根暈歛則生無肉

一痘行漿寺爲月水所觸变者以月月紅花一重連枝

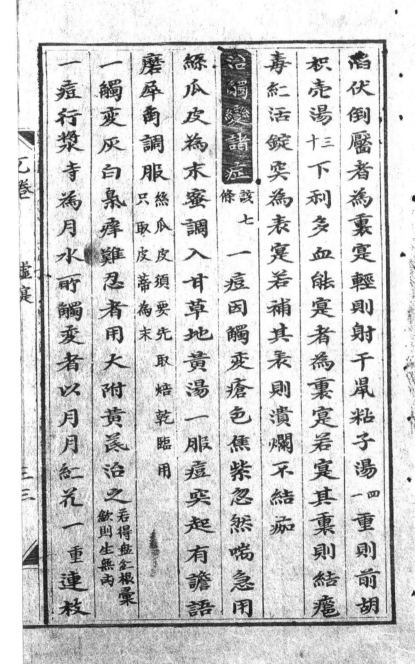

葉煎湯入酒服外以根枝煎浴之
一觸麝香氣發痒瘡頭焦黑者外急以升麻蒼耳草煎浴內服托裏扶元如生地防風蟬蛻當歸白芍人參黃芪赤豆紅花陳皮甘草
一觸死尸氣眼目翻斜口吐涎沫者急以芫荽大棗艾葉紙捲作筒燒烟內用芫荽和姜酒再研入神砂煎飲
一觸客忤驚啼不敬面色青者急以絲瓜細結舍花者焙乾量飲此服休說絲瓜賤一寸絲瓜一寸金

一五六朝衆正行因觸猫犬虫獸氣發驚者以烏龍散遠志菖蒲平分加蟬蜕入酒同煮透去菖蒲遠志取蟬蜕研末沙糖調服

治痘前諸犯症 該十八條

一前犯感冐風邪身如火烙頭疼自汗咳嗽不已而痘隨出者則元氣囂漓須急踈風解毒補血滋陰調元固表　此名猿猴跳鎖

一飲食不能樽節致脾胃虛泄瀉形體羸瘦而出痘則脾虛津耗治宜温養脾元補益中氣　此名觀音佛座

一前因傷感瘧疾纏綿肌肉羸瘦而痘隨出者凡常山草菓斷不可用惟宜参苓白朮以扶正此名馬馳劒道

一兒本體瘦臞熱乾渴咳嗽而發疹疹已痘隨出雖書謂先痘後疹者逆先疹後痘者順然其人本虛亦易為吉須急補陰清肺養胃扶脾若黄芪補肺切宜禁忌此名一葦航海

一兒素癖積羸瘦而出痘者惟治痘為主如梹榔厚樸川連之類皆禁用　此名三僊八洞

一因風壯熱丹瘤遍起已愈或未愈而痘隨出者宜用

犀角生地丹皮之類以清心肝　此名倒掛銀瓶
一兒發大驚身熱口燥譫語其愈未久而出痘此與尋常先驚後痘者不同蓋因痘而起者是痘從心經不過微微耳此則驚甚惟宜治痘為主凡鎮心涼臟之品皆不可用　此名霜橋印迹
一前患身熱自汗或咯衄溺血其愈不數日而出痘者此心神失守致血妄行治宜清心抑火切不可妄用寒涼　此名藕池滲水
一因發大熱腹脹眼腫睡卧不安未數日而痘出治宜

補脾理氣　此名石鼓陰鳴

一身惡熱自汗不止眼昏呵欠啼叫終愈而痘出治宜斂汗用黃芪煞人乳頻飲又以調榮益衛之劑助之　此名赤澤栽蓮

一因跌仆損傷而出痘治宜補血活血兼與扶脾可也　此名巖頭走馬

一素患積塊潮熱黃瘦而出痘不宜治痞惟補元氣扶脾胃　此名逐鹿亡羊

一素禀楊枚胎毒生下不寺寒熱而出痘當用升麻莫

用連翹敗毒　此名推車滔雪
一兒發壯熱嘔吐不能飲食而出痘治宜安胃兼升表
此名霜逐梧桐
一因飲食不節損傷脾胃發熱惡寒而出痘只宜內消
與補胃更加升表蓋自陽明來也　此名倦龍行雨
一因濕熱赤白痢未愈而出痘宜除湿兼培土和氣血
此名秋蟬泣露
一因誤傷刀劍寒熱往來而出痘宜活血開痰升表

此名凍麟出谷
一因素患驚厥或風癎未久而出痘只宜治痘爲要
此名浪裡魚舟　總痘前十八犯專意培華爲
重若痘後犯此十八條則專補元氣爲要

治異痘症 該三十九條

一痘遍身俱好但頭項一片紅赤者
乃熱毒聚膀胱也宜清利之　此名丹雲遶頂
一痘膝髕之間髓會於此腎所屬爲若紅活起脹爲吉
若色焦紫治防發疔　此名繞膝痘

一氣血會足心之下名湧泉穴若於此中見痘則痘勢已全而獲最美一云凡此處先紅先潅者大非佳兆宜急保元　此名督元至欄

一初標紅潤至四五日忽变陷伏不起将至裡虚者此名稟患痘症治宜急扶表裏為主　此名稟患痘

一因氣血虚寒不能振發光潤者急用保元湯六三加天雄猶有可救　此名梨萃纓頂

一痘遍身光潤磊落惟額上一方血泡如雲者是也此

乃心家客熱熾甚宜用犀角之類急治之緩則変生
此名雲掩天庭　一名覆釜　一名蒙頭
一痘熱起咽痛悶亂發狂急宜清利觧毒為主
此名紫萍鋪額
一痘喉頸窩大多者急服玄参桔梗生地甘草牛旁山
豆根之類遲則不發　此名猪頸痘
一痘因心家血少兼見腹脹咽乾治宜補氣血為主而
兼托裏宜保元湯三六加紅花芎桂如至於鼻則名中涨

骶柱又名毒滯迎香屬肺也　此名灰扑印堂

一痘如絲紋拂面治宜涼血解毒爲主如痘多而連肉

絲者不治　此名絲紗拂面

一痘如楊花拂面治宜內托散十六加天雄主之

此名楊花撲面

一痘赤珠遶唇此脾經極熱也宜急清火解毒

此名赤珠遶唇

一痘初標寺胸以上臍以下俱已見標中間一段全無

者此因毒氣壅盛氣血相離不能交會陽參於上而頭多陰滞於下而腿多胸腹絶少如痘絲活根窠圓暈者急宜大補氣血須於七日前速救爲妙遲則難救矣惟正氣充足無妨否則危矣豈可槩以心胸希而忽之哉

此名春水斷橋

一痘終日沉沉無語不思飲食或發癱手足牽併早晨見花午後花落此是瘟痘急宜治之　此名瘟痘

一痘似椰粲彩胸此氣血枯弱也宜保元湯加芎歸桂

附主之　此名柳絮冠胸
一瘄遍身紅活光錠圓滿但背上深紅稠密治宜清火
涼心解毒　此名桃花暎背
一面部俱希而鼻梁左右密如蚕重此毒聚脾胃也其
症危矣若得形色不乖餘部俱順謹治之亦見無恙
此名抱鼻瘄
一瘄两鬢若至紫赤者尤宜清熱化毒爲主
此名花鈿斜堆

一起脹㡱痘上有小孔不黑不白此名蛀痘是表虛而腠理不密大泄元氣急宜保元湯三六加丁桂朋之其孔一密而痘自起矣如近數窠孔甚黑色者則爲疔痘此名蛀痘

一痘胃家甚熱大便堅秘小便淋漓宜和解爲要此名赤鱗穿腹

一此痘不灌膿而內瀉膿血此名伏陰宜急溫裏此名伏陰

一痘色似蘆桂乃氣血兩虛之候急宜大補然皮薄甚者雖治無益　此名水晶痘

一痘不甚起其中亦凹兩四弦皆有綢紋形如蔴黄故名之若根窠紅活者以内托散十六加減服之此名蔴黄痘

一痘遍身俱好惟鬢上一片如粟殼者宜急補托真元或有可生　此名爛粟居鬢

一諸痘俱好惟四肢紅赤唇口崩裂者是心脾肺三經熱也治宜涼血清火解毒為主　此名榴花散野

一痘四肢灰白者此因氣凝血滯也宜八珍湯百二六加附子主之　此名楊莖墮被

一痘兩臉紫赤獨多者此因肝肺熱甚宜急清熱解毒　此名橘殼臉　一名梟聚兩頭　一名胭脂撲面

一痘出如赤浮萍微微高起者若抓破有血者急以解毒升發之藥救之如成爛痘則無妨矣　此名赤萍瘡

一痘遍身俱陷惟骰骨一團飽滿如珠者此症尚可急治而用補托灌膿之劑或有生者　此名草尾珠

一見標後遍體俱多頭面全無者五日之內尚可救治
五日之外難救此氣血不行不能上升宜用川芎升麻
甘桔防風當歸姜蚕如不急治則曲池生疽一月見骨
而死此名鬼痘
一曰火禁瘡因初發之際身發寒熱就火温熱太過致
使皮膚乾燥又兼氣虚不能拘逐故毒停滯於皮膚之
內發淺不出細着皮中有紫色點無頭無脚獨於四肢
或頭面方廣之所見一二點者則諸瘡皆從此發淺為

孽隐隐不起之症終不能快出也宜外以水楊荊芥煎湯浴之內用升麻和解散主之則諸症自可發起矣

一曰水禁有因初熱之際毒氣方熾誤食生冷則毒伏於皮膚之間隐隐見有紛點或於方廣兩脇頭面手足之際發有水泡者是也然冷氣在內故內必腹痛肚脹外必發熱惡寒宜以丁桂苓升大腹之類逐之

一曰風禁因發熱之初失於避風是以肌表固密症不能出皮膚麻木不知痛癢或皮毛乾燥膚癢欲搔甚則

狂煩譫語者此風與火相搏也治宜以乾葛姜活蟬蛻之類逐之

一曰寒禁因發熱之初誤經冷水沐浴或睡卧於鉄漆寒冷之處或衣被單薄感冒寒氣是以寒凝肌表痘毒不能宣發手足麻木不知痛癢或肢體冷痛不能舉動更有獨於受冷麻木冷痛之處不出痘子惟在委曲避風之處或頭面髮際之上痘如癮疹者是也宜内用川芎桂枝姜活以逐之外用重衣以温之

一痘初出大紅如緑豆大過一日便如黄豆大再日再

大先起先脹至後則又变白根窠與頂全無血色或如
黃金形雖起脹按之虛軟宜急挑破否則四五日上下
吐血而死更有深紅掀赤摸過皮軟不礙手者亦是因
盗周身之氣血而盡附之故易脹易膿名賊痘但比諸
痘獨大其大甚速者是也若過三日則必变成水泡甚或
紫泡黑泡矣若形大而黑摸甚堅硬或如圓壳色者此
為痘疔宜速用銀針刺破口含清水吸去穢血用紫草
膏或油胭脂加血餘灰珍珠研末填入瘡口則諸痘自然起發矣

此名賊瘇　一此瘇多屬血熱毒陷況係天篡奪權本最惡症但形狀多端有血活而猶可救有色異而後主貴者須辨之惟血不活者不可治　此名黑瘇

一瘇夏月恒多生虫蓋熱勝則肉腐而生虫其瘡甚癢然亦不止夏月有毒留皮膚熱腐而化此毒亦外解自無內伏之虞故曰吉兆又云物腐生虫此為凶候宜察形症如何以定吉凶宜治以銀針挑去或用柳條鋪下則蛆自出矣　此名虫瘇

一增出之謂者自起脹貫膿結痂皆有之凡頭面已破又復灌漿於無痘處復出一層是也又名補空痘此正氣得補而復邪毒逐外也故易脹易膿若脹補托藥後不出痘破處不復腫灌者不治　此名贈痘

一有先見一二點於面部或口唇上下既如例收靨然以火照紅點隱隱藏於皮膚之內其治宜急內托則痘復出否則頭下夾出一毒然至此又宜急散其毒若不散毒而反發其痘則必致成死症無療矣　此名復出痘

禁忌諸條 該三條

一稟寔者夏不惡熱冬不惡寒稟弱者天寒陰雨感亦濡瀉天氣炎蒸感則伏熱中渴又陽盛人耐冬不耐夏陰盛人耐夏不耐冬此又稟受之不同也故治藥者於夏用熱遠熱於冬用寒遠寒如寺遇天寒則厚添蓋護勿使毒氣為寒所觸而不得出如天氣大熱則撤去衣被當令清涼勿使客熱與毒相併乃致煩燥而瘡　潰爛至如寺有迅雷烈風暴雨之变則宜謹帷帳節蓋覆炙燒辟穢之物以避一寺不正之氣卧

處最要無風又要通明忌暗寺常親人看守夜中燈火莫離以便供養飲食防禁抓破痘瘡又宜切忌穢氣否則未出者不出已出者痲爛甚或瘡黑陷伏臭爛惡痛如刀劍悶亂而死併不可使飢餓寒冷即在乳母皆所當然蓋痘賴穀氣乳哺以助其内避風寒以保其外苟穀氣一虧風寒乘襲為害殊甚但勿過為飽煖及煎煿五辛否則熱毒薰膈眼目必傷至於既愈則臟肉重新洗燥固忌太早風寒尤切謹防幸勿視為淺淡之言寔

術生之至要至如飲食最宜調和無使太過不及或好食何物有不宜者但必與之以順其意若禁錮太嚴使之忿怒恐反助邪火但不可縱耳至若助火生風寺物皆所當忌

一痘初起宜食笋尖羊頭鷄腦鷄冠血飯內猪肉桑虫酒釀至釀膿寺宜食鵝尾肉雄鷄頭猪爛蓮肉大棗年深醃肉圓眼油炒鷄蛋白粘米粥嫩羊汁肉項大桑虫及至收靨惟宜清凉切忌毒物

一不能乘載者此氣血虛弱之本咎也不悟此理強以

毒藥殺之如天虿牛虱人牙之類以損人元氣元氣旣伐毒氣愈熾氣無逐毒之能血失運毒之力乘腠理之空虛一壬毒藥攻擊逼之而湧出一粒化爲十粒十瘡合爲一瘡少頃中氣歸復不能外旺毒勢轉烈反爲內攻惟初起欲表暴則用鷄冠血鷄頭鷄腦羊頭羊腦灌膿寺欲補托則用嫩羊汁肉油炒公鷄旣切於病情復補於氣血何必服諸惡烈之藥

諸忌名目 該四十條

忌對梳頭　忌生人往來

忌六淫不正之氣　忌對搔癢　忌雞犬羊氣

忌僧道師巫入房　忌對掃地　忌過冷過熱

忌過饑過飽　忌驚觸　忌飲冷

忌飲食歌樂　忌對羌言　忌詈罵呼怒

忌懷胎婦人　忌對泣哭　忌油炒鹽魚腥氣

忌房中淫液氣　忌婦人經候　忌遠行勞汗氣

忌麝香燥穢氣　忌腋下狐臭氣　忌滿糞惡濁氣

忌薰抹瘡藥氣　忌吹滅燈燭氣　忌硫黃蚊烟氣

忌五辛氣　忌誤燒頭髮氣　忌瘡疹腥臭氣
忌柴烟骨毛諸氣　忌人死氣　忌喫烟煤爐氣
忌葱蒜韮蘇薫氣　忌諸腥臊氣　忌醉酒葷腥氣
忌食豬肉蟹魚類　忌平復後服鷄鴨傷神
忌睡中驚動或痘驚譁寺則停漿
忌熱渴與氷柿蜜水及清涼飲　忌食荔枝橘子
凡痘在臟肉陽明主之故自出齊之後最不宜吐瀉與
其救治於倒陷之後孰若保脾土於未壞之先故凡生

菓茶水之類皆宜愼用而寒凉之藥尤不可不愼也

避穢諸法（該十一條）

一臟腑之情遇香則榮衛流行遇臭則榮衛凝塞瘡痍全賴榮衛和暢以成功故汚穢臭惡正宜遠避蘭麝諸香能走洩元氣又非所宜凡養瘡房中燒乾紅棗子烟可避不正之氣更可助榮衛之情且能開胃進食如被房室經水生產之穢所犯者（俱以大棗燒烟解之）

一防瘡痒塌則以樺皮和大棗燒烟解之

一被五辛者以生姜燒烟解之

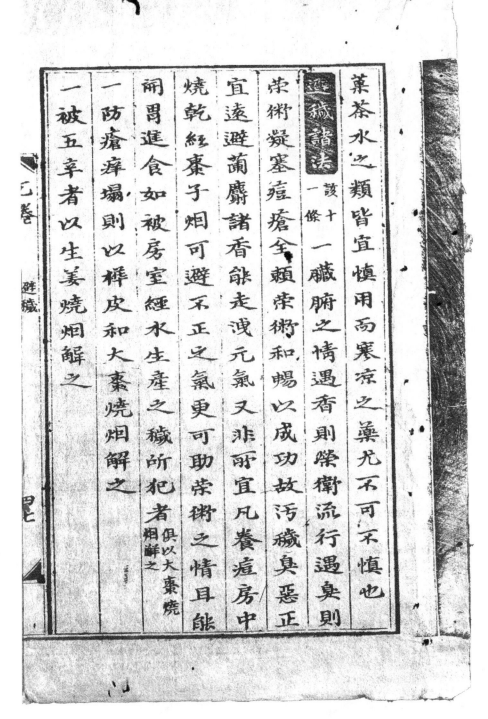

一被酒醫者以葛根茵蔯蒿焼烟辟之　一被狐臭犬羊醫者則焼桃毬辟之

一被死氣及厲氣者以大黃蒼朮焼烟辟之

一遇風雨者焼蒼朮桃毬辟之

一倘痘血少難漿則忌蒼朮盖恐燥則漿難矣

一諸臭穢以卽辟丹辟之　一遇惡氣則以乳香焼燻之胡姜酒噴之俗以醋焠甚非

一須要辰常焼乳香之類盖甘香之氣使之漸開則榮衛和暢可無倒伏之患

乙卷終

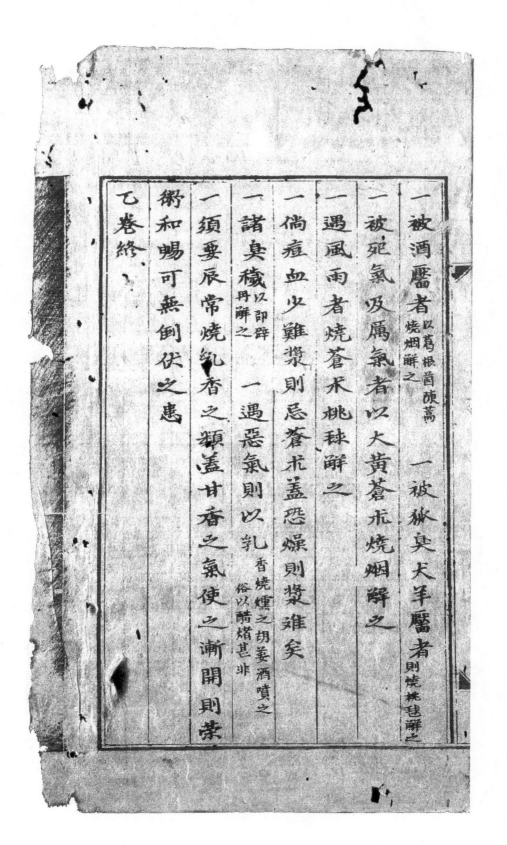

R. 1151

新鐫海上醫宗心領全帙卷之三十六

○夢中覺痘丙卷

目次

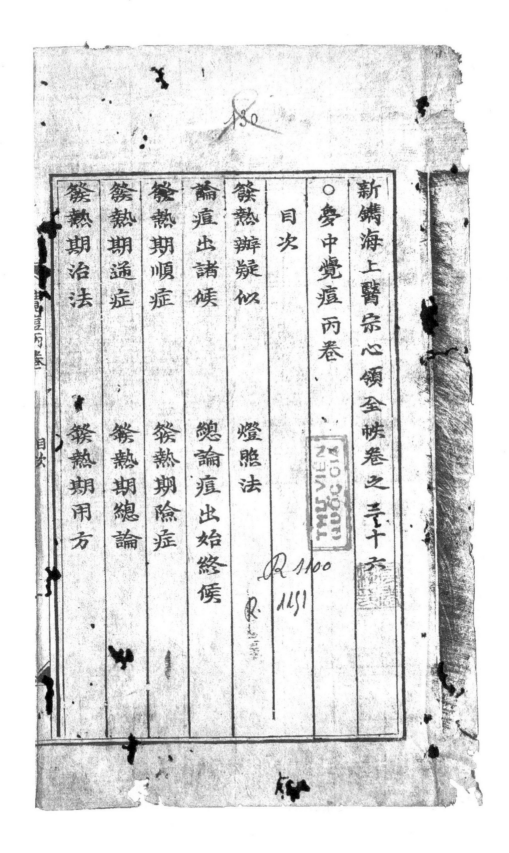

目次終

皇朝嗣德三十四年歲次辛巳三月日刻
板留大壯社同人寺

夢中覺痘丙卷

海上懶翁纂輯
後學唐鄂武春軒奉較

發熱辨疑似　一痘之發熱其出最急者一日次者三日緩者五日七日而已蓋七日五經傳遍倘外此乃係雜症也其候面腮赤燥辰多噴嚏或鼻中冷目中含淚身手指皆熱惟中指獨冷男左女右手足或乍冷乍熱目泡腫赤足梢冰冷尻冷心窩皮膚之內有紅絲紋理心窩乃神明之府見紅絲多者重少者必輕

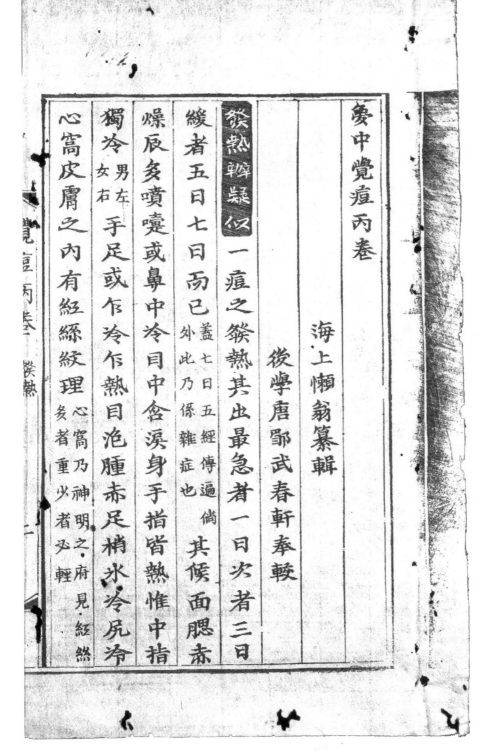

及耳後有紅紋突現者男左女右或渾身壯熱妄言見鬼口鼻衄血驚搐不止幾死復生者此是痘瘡寔熱只以發痘為主凡此皆痘瘡之候外此則為傷寒雜症

一云脉洪大而弦數兩顴之間有花紋現身畧戰動而常驚悸必發痘也

燈照法 一以絨燃作條飽蘸麻油烘乾臨用再蘸其油於燈上往来畧炙令油無滴以免爆傷方點照之其照辰將須窓門盡閉致令黑暗欲視其左必移於右欲視其

右火移於左上下同此照法則痘之多少色之如何可預見矣又以手摸之如紅色隨手轉白隨白轉紅謂之血活生意在矣若摸之不白舉之不紅是乃血枯也雖疎亦危矣蓋麻疹則浮於皮膚而內無根痘瘡則肉內有根而極深者故以手摸之者亦以其痘有根核而駢之耳若以日光觀之則不見矣又如以火照而兒驚搐大叫者亦痘候也蓋因心火太盛而向外火相搏矣治宜微利以導心火否則驚搐重作矣余有一要法可以遥觀痘之吉凶屢攝屢驗凡於看辰以燈往來於痘上若見痘色與燈光相射隨燈影往來

晻晻暎暎自有流動之勢者此是氣盈血足之機也决無陷伏灰黑之虞

論痘出諸候 凡痘始出之候與傷寒相似但傷寒從表入裏只見一經形症痘瘡從裏出表五臟之症獨多故即其臟之毒甚而治之凡發熱煩燥臉赤唇紅面赤燥者因火遊行也身熱頭疼而腰脊強者屬太陽經也乍寒乍熱者陰陽相搏也噴嚏者屬肺也呵欠者屬脾也咳嗽痰涎或煩渴驚悸鼻孔氣粗者心肺熱也目竄者

膀胱熱也驚搐者肝主筋而心熱乘之也口舌疼痛者心脾熱也咽喉痛者肺熱也肚腹疼痛者脾肝熱也狂悶者脾胃熱也昏睡者熱盛而神疲也又或濕熱薰蒸也下痢者熱毒下注又或傷食也嘔吐者火毒上逼也發熱者熱盛於外也不發熱者元氣壯也余故曰身温和而無壯熱煩渴者方為元氣盛也若身凉者又為氣虚險候也

總論痘出吉凶始終候

一頭疼初熱而發者常也

一目閉初出者不治八九日無事十三四日大凶

一咳嗽常症也但不可過且忌音啞則嗆
一氣急在初熱者而八九日微喘亦無事若十三日氣急喘促者死
一聲啞初起不治惟喉中有痘外痘長胖内痘亦肥大而然兼之外痘紅活潤澤而無枯暗之色者吉痂落者
而若兼氣急者始終皆不治
一喉痛初起難治八九日不足治痂後是餘毒耳
一亂語初起者重痂後者而若兼失聲者不治
一呻吟而症如灌膿疼痛而呻吟者不妨

一嗽聲凶症初起毒火上冲可治膿後胃弱痂後餘毒再兼音啞不食乃胃氣敗絶者不治

一腹痛初熱常事若疼不止腰難伸直痘不出及色暗者凶如痂後痛極難忍者大凶

一腰微痛初起常也若痛甚難立而不止者不治此是胃氣不吉之兆

一手足痛初出為凶八九日後無事手足疼乃熱症也

一足搖者凶症但在作膿辰畧動無妨

一鼻衄無妨但不可甚耳

一吐血偶傷瘡傷胃脘微出少許者可治（若甚者及黑暗者不治）

一便血鮮血而少者且兼即止者异倒靨之後而便痂皮膿血者皆可治如甚而黑者不治

一寒戰前七日為熱後七日為寒又當兼症參斷吉凶

一咬牙起脹辰凶　一蛔虫初起辰出一二條者無事多者為凶十三四日吐出者即死從便（而出）多者亦凶

一吐痰初起者無事若見腥臭者須防肺癰則必胸中疼痛唇白面慘為驗耳

一驚搐初起者無事乃痘從心經出也反為佳候若在膿後靨後此為氣血已竭神無所依大凶

一泄白糞者寒也紅者熱也青者亦寒也

一不食初起不妨若在灌膿辰及痂後者凶

一能食者始終為佳惟痂後而倍食者餘毒

一吐黃水腹不疼者無事腹疼者凶

一心胸疼痛與努氣是丹田無根與指冷手搖眼出血或足冷過膝與吐臭痰及嘔惡臭氣共耳出血与泄黑

糞臟腑敗也與十指冷與頭額冷共唇乾齒裂与胸突如盞者並為不治之症

發熱期順症

（勿治）一身熱和緩悠悠或熱或退神清氣爽飲食二便如常而無雜症者只宜聽其自然（不可妄用藥餌）

一發熱三日即無大熱腰腹痛等症纔見點而堅硬碍手者吉

一發熱辰或得大汗一身汗止而脉見稍平者吉

一初熱發驚搐者（以從心經出也）但一二次隨止者吉

一初熱辰或吐或瀉痘出而止者吉（蓋熱毒內觧邪氣上下得泄且不宜）

多見則正氣不耗故為吉兆也雖吐瀉而精神不減氣不耗口不穢痘自出雖數次畧頻亦為順也

一皮膚堅厚瘦黑光彩此骨勝肉也眼中神光如秋水唇舌紅潤者吉此氣血兩盛其痘決輕

一凡發熱一日即見痘已遍出當細問未熱之前必有感兆方為順候不然是湧出也

發熱期險症當治

一凡風寒壅盛以致紅紫癍影不起者宜急透肌表散令其遍體皆出臭汗則毒氣自散

一發熱痰盛譫語昏迷驚搐者此外感風寒而內動心熱也宜急散風去痰利小便則心熱減而驚搐定矣

一毒盛熱壅有一切失血之症者並宜涼血解毒也而專表痘總之痘初雜症多由毒氣未出故宜多用表藥否則毒無路出小毒積成大毒也

一初熱而聲遂變者重宜急清肺利咽爲主

一發熱腹痛報痘乾燥宜助血藥以救之

一痘辰行之際雖未發熱而有腰痛或頭痛之類亦主

出痘但毒甚而痘出必重須宜清觧調治

一勝肉浮脆（脆音毳柔也）而白者此肉勝骨也再見目中光浮而不明兼之多痰多火者㐫此氣血兩虛其痘必重也

一吐甚見痘頭面必多（經驗）

發熱期逆症（難治）

一發熱辰頭面一片如胭脂者六日死

一發熱辰用火照心窩間或遍身皮肉如有成塊（紅者不治）

一發熱辰身不大熱惟腹脹眼合狂燥大渴唇舌燥裂者此毒根於裏㐫也

一身熱如火眼紅口脣紫黑破裂舌燥有芒刺者不治

一發熱辰以手摸面頰揩之不白舉之不紅是謂血枯雖輕必死

一發熱辰腹中大痛或腰痛如被杖者不治

一發熱辰七孔二便鮮血不止者不論始終皆死

一發熱辰忽見紫黑癍者不治

一初熱辰舌頭微黑或聲啞神竒者不治

一初熱辰妄見妄語不知人事者不治

一心迷悶亂喘急連熱色不光潤紫泡黑陷者不治

一初熱辰腹痛泄瀉膿血者不治

一未痘前而眼沿黑色瞋見者死

一初熱吐瀉有蛔虫者不治

一發熱辰即發紅點密如蚕重焦紫乾黑手摸不砂手者死

一初熱辰腹脹而痛大呌不止者死

一欲出不出難過六七日也

一甚熱忽退而反煩燥悶亂坐卧不安此外雖清凉内即熱也再見手足冷腹脹氣喘者即死

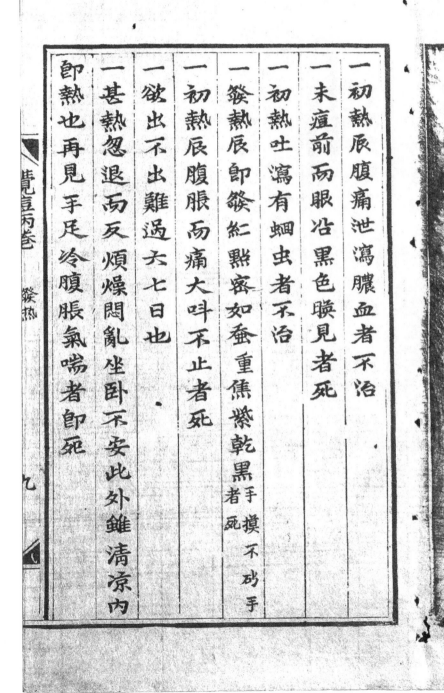

一凡痘初舌先起白色者凶蓋由元陽丹田有虧而氣無發生之本矣　經驗

一凡諸凶惡痘症驟見起勢須見六七日後方保無虞蓋至七日則五臟已皆傳変當起勢一二日忽変而死者此五臟勝負之理也凡一臟正氣之衰微必由一臟邪氣之強勝勝已尽衰同歸于尽猶灯尽復燃皆無根之火故難久耳　經驗

一發熱辰婦人胎墜而血不止者凶或胎不墮而大熱不止者凶及行經不止者亦凶

發熱期總論

凡初熱只有二事惟去邪扶正而已邪熱盛則去邪而正自旺正氣衰則扶正而邪自退正氣盛

而痘自發熱熱爲痘用則不爲害邪氣退而正氣不受傷血脉充裕則痘自泰然須於此辰省明以下手遲則無濟於事矣　一痘之毒非熱不能發痘之出非熱不能損蓋冰厚三尺非一日之寒痘瘡蘊熱非一日之熱其所受最深也痘非燕薰烝安能振拔其毒於外發泄其腎窖之鬱氣者哉若太過則氣血虛耗而出愈難然有當熱者如痘未出之前宜大熱以逐其毒若反頭溫足冷則毒不能發越在外必歛內潰有不當熱者如毒既出則宜表裏和平長養氣血助毒成漿若反壯熱則氣

血煎熬不能拘吸其毒是以毒無出路变為紫黑乾枯失血狂躁腹滿而斃矣

一凡熱輕則痘疎毒少熱重則痘密毒多乃常候也然有微熱而痘出反密者其症口必燥渴唇焦齒裂小便赤大便閉是毒深而熱亦深也雖表不大熱而裏熱盛也亦有熱盛而痘出反疎者其症必口不渴唇色潤二便調是身雖大熱毒淺而熱亦淺此表熱而裏氣和也

一凡痘既出而熱不減者痘必日增見點後而熱漸退

者痘必疎矣　一凡痘中一切變症亦無非毒氣欲出不能之所為也故雖有諸症惟宜以痘為主

一凡痘症最忌內外之寒氣務使表裏温煖但得毛竅中常見津津潤澤亦猶庖人蒸籠之法但欲其鬆則皮膚通暢氣無不達痘必易出易收也

發熱期治法 參看前論症

先師曰百病之生莫不乘虛而發痘瘡乘虛感動益虛其虛要審其陰陽表裏因所因而調之使氣血和暢互相為用陰翳之毒自出自化於臟

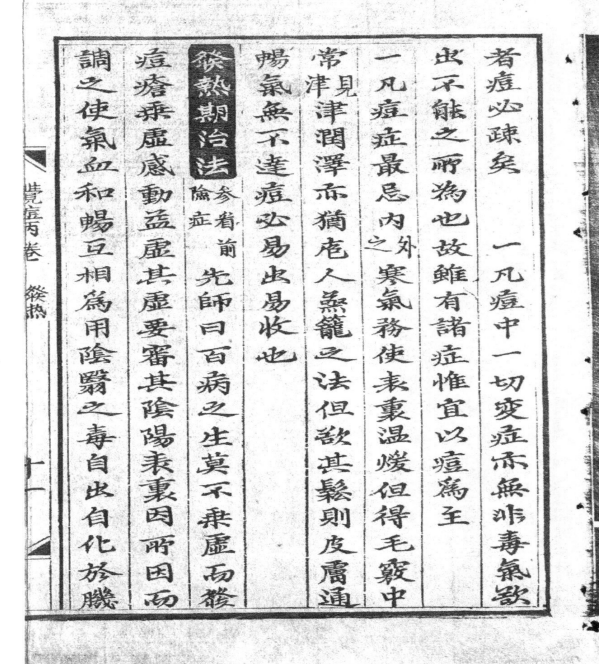

肉之表而難伏匿於經絡之中惟有重感風寒閉塞腠裏者方可荊防羌葛疎毒外達若一槩以此爲事則芽兒柔脆一任猛藥毒勢一齊湧出其形如麩如痦者卽不足之氣迫而成之也其色如痧如痏者卽不足之血竭而死之也善治者當此邪毒出表毒氣外浅其熱其勢姑在此緣之辰火盛者重用滋陰以化陽仍宜鼓舞而勿滯火衰者便培中氣以固本仍兼潤藥而勿燥托毒之中寓入培本之藥預爲地步則致灌膿期限有此

氣血而為釀膿之具若至灌膿之期氣血不能接續榮
衛之力轉窮毒氣何從化洩乘虛陷入尚有何法可救
栽人謂毒盛雖於早補抑知毒盛而無氣血將何逐毒
化毒耶蓋毒之化必由膿膿之來必由氣血氣血之化必由
火也昧者但知以毒為火清火以解毒豈知滋水便可
以化火更能養血之根而為釀膿之本豈可以寒凉清
解之乎何者痘屬臟毒屬陰最深必伏氣血以送出於
皮膚運化於窠囊收結成痂寧有內消者乎不成膿者

手態痘之成形并色者皆後天氣血有形之用也化膿結痂者皆先天水火無形之德也故有形之疾病難除必求無形水火之真藥可化當據脉察候以分陰陽所偏而調之將此有形之寔化作無形之虛借此無形之水火以作有形之妙用自無而有自有而無挽回造化之神功點運於內而莫測其微矣發熱之表宜為表散見點之後宜為清觧不可過用寒凉以損陽氣若熱甚便秘者可微利之如微熱者只宜觧毒過發徹則表虛過

寒凉則凝滯驟補益則助火是以表後宜補補中兼表此変通之術也

一凡遇天寒宜防發遲毒壅用辛熱之品以治之遇天熱宜防過洩潰爛用辛凉之藥以治之若在平候惟宜温和之劑

一凡痘由胎毒伏於命門遇火令則發此毒陽症固矣然陽毒陰邪無熱不成亦無熱不散治者不可盡除其熱若盡去之則成陰症而危矣愚按錦囊曰痘臟毒屬陰景岳曰痘為陽邪陽毒書云陰賊陽則為寂滅陽賊陰則為焦枯如此則藥之救陰救陽逈別二論自相違矣然以愚見之痘毒得

發有形之初指為臟毒屬陰誠然矣至於遇觸則發自陰傳陽勞如烈火指為陽邪陽毒亦可矣二先哲一導其本一導其標學者要知識標取本為尽善矣

一凡有因風寒閉塞毒不得泄身體俱痛鼻流清涕寒熱往來咽乾鼻燥而狂擂甚至遍身有青塊者但宜發汗若有紫黑而極熱者須宜斟酌下之凡治而青黑不退者死

一有因暑熱壅塞是以毒無逐載之宜反為悶亂内攻煩渴喘滿奇潰如狂治宜清暑托毒益氣蓋熱多傷氣若兼外感者亦宜辛凉表散主之

一凡於初熱辰宜用輕揚之劑汗以散之但使外感之邪臟腑之毒皆作穢汗並從毛竅中出則毒氣已減其半而重者可輕危者可活

一凡表散之法當知邪之淺深毒之微甚若邪甚散微無益於事邪微妄汗表氣必虛故惟以得中為貴亦以微汗為貴不可過傷衛氣也其有天熱不退臟腑秘密或氣冷寒凝一散未應亦可再之其毒自解可無患矣

一凡初見發熱若無虛寒等症切不可驟用溫補以助

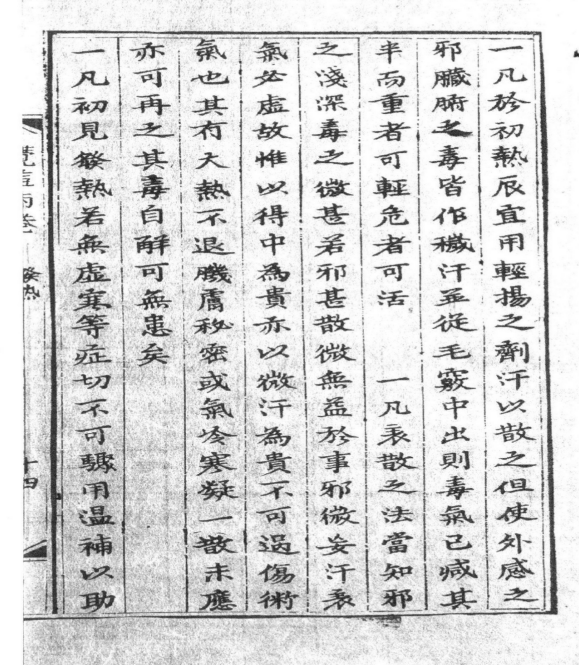

火邪鼓扇痘毒反滋其害若無寔火大熱等症切不可
因其發熱妄投寒凉敗脾泄瀉其害尤甚
一凡假熱之症則口不甚渴二便通利或見微渴或素
禀弱或脉不強或聲色不振或飲食不化或脹滿嘔吐
或吐蛔或倦睡或畏寒或作痒或多驚或筋愓肉眶等症
雖見有熱此皆熱在表不在裏總屬無根之火非真熱
也最忌寒凉　一凡純陽無陰之症則發熱譫語狂
妄躁亂大渴大煩如見鬼祟大便秘結小便赤澁脹滿

膚燥毛色焦六脈活數急疾是皆火毒內熾之症當以寔熱之法治之

一初熱辰惡寒其身振振搖動如瘧之狀振振火之象也不可誤作寒戰妄投辛熱蓋毒邪在裏煎熬氣血薰烝臟腑而然此必衛虛榮弱不能托毒送出留連經絡與正氣相爭邪火外射乃火為寒

一身熱始終不退者是多得於毒氣太甚始末宜兼清解若內症不退者當看大小便如何以治之

一凡痘盛見紅點不可用升麻葛根湯恐發得表虛也此引翼之論也治痘不可輕用升麻恐提

氣上冲引動肺氣也此程農舉之言此二説雖屬有理但有宜否之辨如陽氣下陷不能透達肌表者則暫用升麻固其所宜又或有紅點而表有熱邪未觧者則仍宜解散亦不可緩此二説者雖不可堅執寔不可不知也
一治痘前後須加木通以瀉熱邪使自小便中出不使攻胃令無變黑之症七日之後熱退者須少用之
一能食而安静内無脹痞乃是吉兆勿謂便寔而妄下
一肌色青面皖白精神少倦乃爲虚兆痘出决然不振

若兼溏泄嘔吐惟宜温補爲主

一未見形而泄瀉者若有熱症非虛兆也治宜清涼更加發散若誤補反劇若無熱症乃虛兆也治宜温補佐以升提若誤攻必危然泄瀉之症内亡津液易生煩渴勿可一槩指爲寔熱妄投寒涼以致變生他症

一見點隱隱出而復沒兼見嘔吐搭眼面青摇頭狂妄等症此是發驚之兆須内托以防之

一腹痛口張喘急啼叫不停五竅不通須防失血

一大熱煩渴便秘腰疼鼻乾唇燥譫妄驚悸者此毒氣鬱遏須防其伏而不出矣故熱則解之秘則利之

一吐利不止當防中氣虛弱不能成就必致倒陷故吐利則止之

一凡經表散之後則毒從汗出又當察表裏之輕重或宜解表或宜清裏或宜托助元氣氣孰者宜急孰者宜緩不可執一然表熱雖盛非微汗則熱不解裏熱雖盛非微下則熱不解失此不治則毒漸盛而逆症隨見矣

一凡經表散之後要謹避風寒若使外邪再感皮毛開

塞熱毒復熾汗而再汗必不能堪又須切戒生冷等物犯之者寒湿傷脾泄瀉不食致害不淺

發熱期用方

一初見發熱狀類傷寒未知是痘非痘即當先用汗散此辰欲散表邪當兼調營氣宜柴歸飲一二爲第一惟大便不實者忌之以其性多潤也 其次則蘇葛湯十二再次升麻葛根湯一 或用參蘇飲四五 亦佳

一熱甚者只宜清凉發散不可峻用苦寒發散則毒能外達而熱自散苦寒則毒反冰伏而出愈難如輕則升

麻葛根湯一以踈其熱不然則煩燥壯熱何以定其標如重則麻黃湯二或桂枝湯三以開其壅不然則喘急腹脹何以救其危　一遍身如火晝夜不休口渴目赤唇乾二便不利煩躁咽痛此是表裏俱熱之症宜黃連解毒湯四以消散之於六日之前否則熱壅不清後變瘃症若雖熱而面青目不赤大便不秘小便清此裏無蘊熱不特黃連宜禁即生地丹皮升麻紫草亦不可多與有傷陽氣以致中寒　一表裏挾邪俱熱者柴葛煎十七

或連喬升麻湯十八若表裏俱熱而邪寔者宜用雙解散二二

一凡清解之劑以治表裏而兼清兼散也盖熱之甚毒必甚若身常有汗而大熱不退或兼煩燥熱渴者此內火薰蒸而表裏俱熱也須兩解之宜連翹升麻湯十八或如聖湯四三

一凡身熱烙手面目赤口乾二便熱閉煩悶不安此表裏俱寔宜柴胡飲子四四甚者大連翹飲二五或雙解散二三或調益元散三四以利之

一凡表熱不解而裏無熱者宜球邪飲十九或蘇葛湯二十或柴歸湯二一若表汗已透者

不得再汗恐外亡陽而內傷氣也

一凡痘壯熱經日不除而無他症只用六味麥冬湯三九治之未效用七味白术散四十

一痘前後有燒熱不退並屬血虛血熱只宜四物湯二七按症加减有渴加麥冬犀角汁咳加瓜蔞霜痰加貝母橘紅切忌參朮半夏之屬倘誤用之爲害不淺蓋痘屬陽血多虛耗今但滋陰補血其熱自退此即養陰退陽之義也

一凡內熱毒盛者宜東垣涼膈散二三或解毒防風湯百五二以主之

一凡熱毒熾盛瘡毒紫赤煩燥宜搜毒煎二四

或大連翹飲二五 或犀角地黃湯二六
一凡大便不通寔熱內壅而胸膈脹悶宜前胡枳殼湯三十或三黃丸三一
一凡小便赤澁而邪熱內畜者宜導赤散三三 或六一散三四
一凡二便俱不利而寔熱內滯者宜通關散三二
一凡心火盛而驚搐多痰者宜萬氏牛黃清心丸三五或七味安神丸三六
一凡痘稠密身熱毒盛者宜養榮退熱用鼠粘子湯三七或柴胡麥冬三八
一凡身壯熱大便堅寔或口舌生瘡咽喉腫痛皆痘毒
未盡也宜射干鼠粘子湯四一 如不應用七味白朮散四十

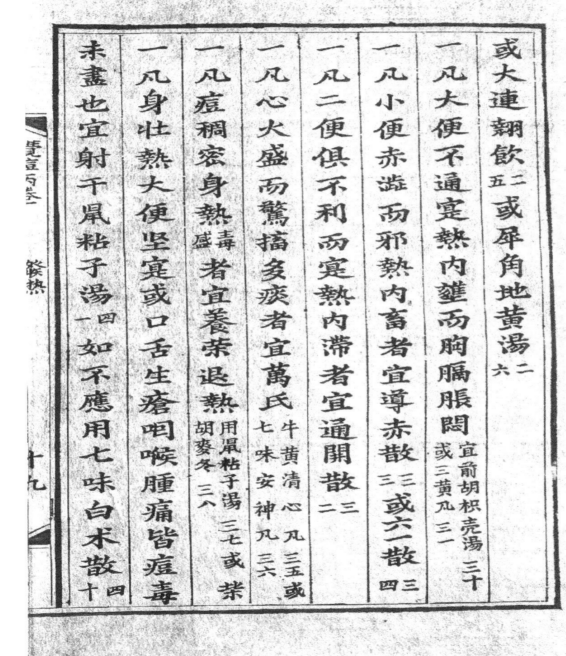

一凡𤼵熱有惡寒身振如瘧之状者陽氣虚也宜柴葛桂枝湯二百三九加黄芪　一𤼵熱毒盛壅遏之症初必壯熱或風寒所抑或肥粗肉厚腠竅不通症見腮紅臉赤皮燥毛焦氣粗喘滿腹脹煩躁狂言譫語坐卧不寧大便秘結小便赤澁面浮眼脹多啼多怒驚搐失血此為熱毒壅遏之症無疑其治法如未見點辰先服升麻葛根湯一一服隨服羗活散鬱湯十五辰至見點之後諸症悉平勢將行漿不過照後調治血熱之法而已然熱

之症多致神倦不可誤用參芪補益則熱愈盛又熱毒能為吐瀉不可誤投訶子肉冦歛澁則毒愈亢及至血泡已成氣血定位形頂光白勢將充灌則血熱之勢漸清火毒之孽旣解又宜無執清凉别為斟酌可也蓋灌膿則用温補氣血為主庶乎其可也

一初熱壯盛頭汗腰腹俱痛吐瀉咳嗽兼作者此外感與內毒俱重宜急用荆防敗毒散（即人參敗毒散百九七）大為疏解

一發熱吐瀉不止身熱口渴不可投温熱止澁之藥壅

遏熱毒猶以火助火宜四苓散百十加減主之若增壯熱頭疼咳嗽鼻流清涕用加味葛根湯百三八以汗之兒體怯弱者用加味參蘇飲二百六以汗之亦不可過用以致表虛若得汗後或煩悶躁渴妄語者切不可輕用清解宜用敗毒和中散二百十二治之　一若有腰痛腹痛而煩悶者此毒氣誠重用敗毒和中散主之如便秘加酒炒大黃痘出則痛止切不可純用寒涼以阻遏其毒出之勞立見内攻也

一若身熱一二日痘先出於天庭司空印堂等處或一

齊湧出而稠密者或乾枯紫黑或連片不分窠粒皆氣血凝滯而毒氣肆行最爲可憂急宜活血養氣解毒用調元化毒湯七七

一純陰無陽之症凡痘發熱手足却宜和緩若見冰冷必其人常有吐瀉脾氣大虛也脾主四肢所以冷爲悪候即有外症亦不可單用發散益虛其虛治當温中兼表宜黄芪建中湯百十七或六氣煎七二加羌防生姜荊芥之類以補養脾胃氣血而助痘瘡之成就

一凡陰虛血少躁熱神昏宜四物湯二七或二陰煎二八

一凡陰虛血熱而大便不通宜四順清凉飲二九主之

氣虛

一凡氣虛之症初發必身熱手足厥冷乍熱乍凉精神困倦臟肉皖白飲食減少四肢倦怠睡卧安靜便清且調或嘔吐便溏點既見而隱隱不振淡紅皮滑此屬虛症無疑其治法於未見點前[輕]不宜用升麻葛根湯一及三癥湯七六之類宜參芪飲五加劄發散如紫蘇防風之類若見氣粗皮燥無潤色者只以四君湯九十少加桔梗川芎腹皮畧佐升提爲妙至見點之後又用參芪飲

五加輕劑升托如川芎桔梗之類至見點三四日後則重用參芪隨症加減而處治如見頂陷灰白不起或漿清自汗微渴者則用大補元煎二百五四加姜桂主之至七八日漿足之後則用保要百補湯六調養氣血而已若塌陷灰白腹脹泄瀉者則用木香散百二九若痒塌悶亂腹脹渴瀉喘急頭溫足冷寒戰咬牙急進異功散百十五以救之至如黑陷黑靨者則多用木香異功散七以收功

血熱

一血熱之症初發則身熱如烙毒氣彌盛腮紅臉赤

毛焦色枯煩燥渴欲飲水日夜啼哭睡卧不寧好卧冷處小便赤澁此屬熱症無疑治宜重用升提發散使毒達表外解引以滲泄疎利使熱潤下内消又佐以清涼解毒行血凉血之劑痘雖稠密亦能消散所謂輕其表凉其内平其寔清其熱故痘有安表和中解毒三者其治法於未出之前用升麻葛根湯一 或用升麻流氣飲八 雖皆可服總不若十神解毒湯九 及至見點之三四日後熱勢悉平勢将行漿則用太乙保和湯十 加減至

八九日漿足之後則用保嬰百補湯六調養之若至七八日或為紫黑乾枯及灰青乾陷者則奪命丹十一猪尾膏十四百祥丸二十皆可擇用惟泄瀉之後或有黑陷乾紅者則用木香異功散七以救之

一熱毒欲發不出故往來寒熱是表裏俱見之症始終宜用柴胡甘草再以隨症之藥治之蓋寒者則因表虛而八熱者則因內寔而生初辰則為毒盛攻搏膿辰則為氣血釀漿愈後則為栄衛兩虛故七日前後而獨熱

者為痘蒸氣血與毒俱盛也十四日後而獨熱者亦為餘毒易治七日前後獨寒者爲氣血損而毒内鬱也難治急宜温補為要然寒熱作於七八日之間恐有陷伏之患須多服内托散十六以防之發熱期當用諸藥品一疑似未明症見重感風寒者宜用羌活獨活麻黄細辛桂枝防風葛根前胡姜蚕枳壳橘紅紫蘇川芎白芷蟬蜕荆芥葱白生姜之類隨候採用一疑似未明症見輕月風熱者宜用防風荆芥前胡疎皮川芎天麻牛旁桔梗杏仁甘草蟬蜕連翹玄参木通

山查羌蒡之類隨候採用　一辨痘已明而痘見氣虛者宜用防風荊芥川芎桔梗陳皮甘草茯苓紫蘇蟬蜕姜蠶山甲胡荽筍尖桑虫酒釀鷄冠血之類隨候採用或氣弱甚而不能出於發表藥中加參桂少許

一辨痘已明而痘見血熱者宜用升麻葛根防風荊芥蟬蜕天虫川芎牡丹紅花赤芍生地紫草羚羊犀角山甲鷄冠血牛旁玄參連翹桔梗甘草山查陳皮腹皮木通筍尖蘆根大黄石羔之類隨候採用（凡血熱痘症用羚羊角較犀角）

更佳蓋犀角凉心則毒反滯羚角凉肝而治血熱清肺肅上焦又能安心除熱益陰且性散結而不滯尤效耳

報點期順症

一症潮熱三四日而出者辰熱辰退謂之潮熱此氣血充盈其毒少雖於感動症必希而順與早見形而肥者必稀若三五相連者必密

一熱數日而見點眼胞不腫二便如常頸不軟唇不浮兩頰不糊模肌肉不腫者吉

一症出希疎表裏俱凉其毒必輕兼大小磊落分明不相粘連者則托裏解毒之劑宜畧飲之以助其起灌而已

一症見一色者吉二三色相合者凶

一先吐而痘見即止者吉若大吐而变者凶蓋胃敗不能逐毒也

一痘作三四次出至三日後手足心方繼出齊頭面胸背希少摸之坚硬碍手根窠紅暈大小不一肥滿光潤痘與肉紅白分明勢如笋出土形朝暮易眼者吉

一目光精彩神瞭瞭然口唇紅活而無燥白者吉

一先於骨處見點而希者吉見肉軟而無骨處而密者凶

一凉而復熱熱而復凉連綿數日然後從口角顴骨之最三兩成對報點至三四五日出齊者順兆

一痘瘡上身多下身少者吉反者險

肙痘

一凡發熱至五六日痘應出不出以燈照之只在皮膚中有紅點但其色脉和平别無逆症忽然眩肙大汗而出者毒氣痘瘡一齊湧出從汗而出者此名肙痘再無壅遏之虞乃吉兆也七者一看天庭太陽方廣二看地閣三看頸項四看胸背五看肚臍六看穀道七看兩手脉處如得數地俱希少者吉

報點期險症當治

一發熱半日一日即出由氣血怯弱毒

多易於感動其痘必密而難起勢雖密而根脚自分太陽希少周身無成塊之形而色不乾絲者可治一如出太密粘連糢糊則雖出而毒猶盛其托裏解毒之劑宜多服之以防其陷伏痒塌黑陷之变若遍身雖糢糊獨面上喉頸胸背之處希朗分踈者猶可治也

手標　一發熱未透而即見標巴而復沒又出復從謂之美標蓋痘憑熱透則肌膚通暢自然易出今熱不透則地皮未熹故出沒如此由氣血衰弱之甚無力發泄故也

一胸前頭面咽喉宜疎手足雖多亦不畏如見喉痺宜
急治之　一天庭百會巨闕人迎等穴有紅點疵在皮
膚内者出必重也　一痘至三四日脚痠不能立者危此也
一手指頭上為肝胆痘穀道中為闌門痘沿眼三四點
為鎖眼痘小便兩邊為囊眼痘額上兩角為日月痘凡
此等處先見者可治　一根盘已具如頂未起根未鬆者急宜透托為要
一見標二三日喉痛眼紅唇腫皆肝肺胃火旺也如痘
色氣血交會者急宜清解治之可愈若色慘暗乾紅則

氣血離散七八日内必至鼻紅出血不救

一周身希惟咽喉獨密者名纏喉宜急清肺利咽為主防至八九日間水喰不食必危　一見頻更衣者須防失音咽喉

一初出而色艷者必皮嫩易破須防其痒塌之函

一稠聚成塊者不可謂之疎須防内伏

一見頭面預腫須防其易消而倒陷

不及

一如應出不出應起不起應貫不貫應收不收謂之不及此氣血虛弱須防不出不起無漿癡爛之症宜急

表暴起發旬氣活血助膿解毒

太過 一初出而便有水將發載漿膿未成而便收靨者此未至而至謂之太過須防陷伏倒靨急宜發表托裏解毒為主

一有色若灰桃棄粒肥大若按之碍手者則紅活可期當可救也

試症 一凡痘瘡變化莫測有周身無大熱亦見報痘但不灌膿結痂或出而復沒者此名試症不可誤作輕看再過敎日忽然大熱必復出當審視之

錢二 一凡大熱未退而先見於太陽額角髮阿天庭山根

此毒參陽位大非吉兆再加目紅唇裂痰喘色紫或白者尤速又或三五點聚於一塊者此名銅錢痘皆不吉之兆宜急涼血解毒以防其危

報點期過症

一發熱一日忽爾擁出形如蚕重灰白稠密身熱腹脹瀉渴不止頭溫足冷及色紫黑乾枯者死

一唇上見痘及牙床見者不治

斷橋

一自腰下見痘腰上不見者不治名斷橋痘

一初起全不起頂如湯泡火燒之狀是氣血兩敗必九

日痒塌而死　一痘已出而熱一遍又出一遍者不治
一連肉紅紫一片臉如稀皮不分肉地者死
一痘色白而皮薄光潤易破根窠全無紅色三五日即
長如菉豆大者此痘决不灌膿後成泡清水擦破而死
不可因其好看妄投藥餌　一初出頂陷中心有點黑如針孔者不治
鎖口　一周身希少獨脣口細密名曰鎖口須防九十朝不
食發熱而死　**纏胸**　一痘獨於三倉多者名纏胸防十九朝
失聲腹痛咬牙而死　**攀肩**　一痘於肩背獨多者名攀肩須

防發熱作啞燥渇而死註云夫脚下湧泉穴肩上肩井穴乃暗水潛行之道凡津液潤布於皮膚之内者皆此井泉之水而以腎為源也毒盛於此水道絶矣且五臟皆附於背背上太密臟氣傷矣

反脚 一起勢不多根脚肥潤色青與白熱盛神竒者名曰反脚三朝必死

賊標 一初出先於天庭方廣太陽之處見標一粒先亮好看火頂又即陷没者此名賊標猶賊之欲陷其城而先以奸細審之决死無疑　一初熱腰痛及報點而猶大痛不止標如蚕重面赤氣粗煩燥竒乱者主五六日必口中大臭身出紫黑斑點或口唇青黑舌上發疔而死

一胃熱發黄狀如橘皮者死　一膱肉裏痛如被杖者不治

一囊上兩邊先見痘者後必黑陷余按前云小便兩邊可治今云囊上以為別

狩痘

一痘疹俱極稠密而疹又不先靨者此名狩痘不治

一痘未出而身有紫紅色癍或有數點黑癍鼻衄沉奇

身熱煩悶者三五日死　一舌捲囊縮者死

一手足面部俱出而身熱煩燥不退耳輪耳背獨盛者

凶症也惟周身希少紅活光潤標粒分明耳上不出者無害

一痘出辰狂譫見鬼好飲冷水其癍先從腰腿而起者

不治　一發青黑痱如痣及⿰月幾肉有塊青黑者即辰而死
一初出顴痱嘴唇崩裂或腫口出臭氣此胃爛發痱也不治
一凡先發無名腫毒而後出痘者十有九死
一初出吐瀉不止虫從口鼻小便中出飲食不進者死
一遍身紫浥刺破出黑血者死　一起勢因循面多青色而不熱者危
一痘稠密陷伏煩躁狂叫口中腥臭冲人者此邪火熱爇肺爛胃敗也必變失聲乾嘔喘促七日而死經云肺絕七日死
一痘出頂陷而臍窩內有瘡者百無一生此腎痘也必寒戰咬牙而死

一痘出譫語不止嗜睡不食手足冷者死

一凡痘瘡初出當頂紅者六七日死（盖痘欲淡紅如線附於根下不欲紅頂也）

一凡色紅帶艷皮肉盡紅者必不成膿痒塌而死

一報痘之辰口鼻及耳有紫紅色或出血不止决死

一報痘應出不出或起紅癍如蚊迹者六日亡

一痘出臍（出至足心爲肓）毒已外達則内當安靜而反見熱不退譫妄不止者此邪毒盛極神無所主也必死

一先見耳廓内而多者屬腎經大凶兼腰痛（寺候必死經卧）

一痘毒發於足内踝者必死此毒發於腎故見太谿之所經耳

報點期總論

一痘初報點須看顏色榮枯一來遂覺粗肥希疎可必初發如環瑣屑繁密堪知帶熱敷瘡陸續出來雖甚密猶為可救一齊湧出掀紅皮薄縱希疎未必全生細細白頭如痞必乾枯後作内攻形啾啾紅點如丹定乾萎決成憔悴勢粗肥浮頂點子不紅終白陷頭尖皮薄茱萸紋起定空漿然要兒之臟肉不同未可一例而斷肌嫩則皮薄嬌紅黃瘦則痘成蝸色人黑皮

粗色必慘暗更喜者綻凸有神見點如珠如粟而色神澤安所忌者繁紅乾燥皺瘡或紫或焦而毛枯皮槁是雖帶熱齊出只恐密似針形縱然陸續出來尤忌形如蚕重如麩如痞如疹如疥根窠不立地脚俱無犯此數端皆云不治　一見先密後疎者此夾疹夾痲也初出齊辰則一片紅點似難分辨至起脹辰惟痘獨在故先似密而後獨疎也又有先疎而後密者此又一順一逆書曰輕者作三四次出大小不一等故先似疎而後漸密

此順痘也吉若初看辰以面上胸前三五處窠粒糢糊脚根腫硬待至起發則一齊湧出故先雖疎而後尤密此逆痘也內陸續出者正氣充足毒氣輕鬆得以拘束者也一齊出者表虛毒盛不能拘束任其奔潰也然裹於外者脾也脾虛則易破充托於裏者氣也肺主氣肺虛則不能起發榮於根脚者血也肝主血肝虛則血不能榮潤血之源者水也腎主水腎虛則乾枯黑陷癢與痛者心也心主火火實則痛火虛則癢也

一數日見點粗肥紅活顏色者吉如有肌肉微腫狀如堆粟不分窠粒此氣滯血凝毒氣欝結也如初出紅腫漸漸變黑其硬如石者此肌肉已敗氣血中虛不能載毒而出反致陷伏也如中心黑陷四畔突起赤紫者此血隨毒走氣不為用也如中心帶紫四畔乾陷焦黑者此氣附毒出血不為使也如形帶白漿自破潰爛者此氣血不克皮膚敗壞也如有水泡溶溶易破者此火濕併行氣血不能斂束也如有血泡色紫易破者此血熱

妄行不能自附於氣也如瘡頭針孔漿水自出者此衛氣已敗其液外脫也此皆危候

一論氣血交會其初出一點血形色未分純陰之象也蓋血初載毒犯上猎竅而出未受陽制然體立也次變而陽始會陰氣能定位制下是以氣形於中血周於外其中稍有微白而外則淡紅如故然血盛之勢未降而屬微陽之象也更變而氣尊於內拘血化毒氣和血就尊卑道正而乃根窠圓混其中之白漸大外之淡紅漸細

而屬微陰之象也再变而為血收氣足毒化成膿其中之白既充遂乃圓滿結寔白轉為黃紅暈俱化血毒兩降而屬純陽之象也然是毒雖有巨細疎密之殊而百千形狀皆類乎一者性也惟其变態不一者情也性出於天地情出陰陽情可化也性豈人力為哉故其加治凡陰始交陽之門陽交陰會之初憂虞之象未今若非聖於醫而知虛寔寒熱者不可輕易下劑恐其藥性乖亂氣血交會之機若氣始定位血初歸附各能順戢亦

何藥焉惟苟失其正者則宜治矣調其氣血之情使得交會之妙自能逐毒成功而無咎矣

一見點如人中及鼻腮頤年壽之間先發三兩點淡紅潤色漸而點點根窠圓暈氣至充滿血附光燦者順也

若天庭司空太陽印堂方廣之地先發者根窠無暈氣離血散枯紫不榮者逆也若根窠雖圓混而光燦有神潤澤成箇但頂陷者則勢必氣血雖聚而險也又雖圓暈成形而乾紅不潤者又其險也順者不治自愈爲氣

得其正血得其形氣尊血分而毒自不能妄行以肆其痘逆者雖治不愈為氣溢血滯交會不足致毒乘机犯内也險者可治而愈蓋毒雖犯上但其氣血未離猶有輔翼之功耳然憂虞之象未令未可施治必俟其氣血交會之後隨候施治

報點期治法

參看前險症

一痘瘡之期只有十四日從自見點以致七日内如花之始蕾而發也其氣日盛如至七日之後則氣斂而花謝矣故服藥者當於七日之前日夜

連服無容姑息借毒火之運行而克灌成漿自易矣若七日之外治無益矣蓋痘毒之在氣血如糠粃之在米也惟氣血克足運轉迅急如篩米而運轉不停則糠粃不混於米騰然起聚自作一團故氣血克足而周流則毒亦不滯於榮衛之中自然及辰灌膿收靨故明治者必務見點之後即服補養氣血以助運行推出之勢奈何不知此理僅以毒物發痘嗟乎以毒攻毒勢雖並勝痘固出矣若夫膿汁收靨之功又非毒物之所能致榮衛

旣虛而用毒峻發戕賊中裏毒雖浮外中裏空虛藥力一緩毒卽反戈而內攻尚莫其可救哉

一凡虛症見於報點之辰卽當速爲温補失此不治則不能灌膿結痂十日後必致不救蓋痘瘡寔熱者毒盛可畏但寔熱症顯人所易知虛寒症隱人多誤認故爲害反甚且痘瘡之所賴者惟飲食與氣血飲食之本在脾胃氣血之本在肝腎但使脾胃氣強則滋灌有力而無內虛陷伏之虞氣血充暢則毒皆生化而無表虛痒塌

之患此其在氣在血或微或甚所當早辨而治之
一若夾雜如同蚊咬惡烈勝似蛇傷乃或螺螄雲雹此
際差為可救然未可即許其無妨未熱先數數點俗名
報痘報後而熱久不斂此痘便作疔着先發塊而後發
瘡瘡名癡毒而必生先發瘡而後發塊塊名鬼腫以雞
瘥避痘避於隱僻眼胞唇脇必多凶悶痘悶於要處舌
喉胸背而不吉順不增多逆嫌一點冷疔先見諸瘡誰
敢彰形賊痘若生諸痘不能灌汁辨認若真急宜挑破

裏症未平痘雖出而毒猶在内便調人静身雖熱而毒已在表在内者透肌發散尤加解毒為良在表者補兼發散仍以安表為主設使内外症平此候不須過治

一發热得日許而痘一齊湧出者須問數日前曾有熱否如有作熱作凉則以過期論無者見此方為表氣虚毒氣盛榮熱衛弱腠理不密故毒氣冲擊奔潰衛氣不能約束於外而出太驟治宜托裏解毒為先次投以寔表之劑庶無痒塌潰爛之患方保無虞

一熱至五六日而始出者須審其前有内傷外感否蓋内傷外感之熱久而不去則下陷合於腎中感激所蘊痘瘡之毒亦有繼此而出不可作愆期論若無此二端而久熱不去此裏氣虛不能逐毒以致毒邪留連停伏於臟腑之間或痘初少而日加多是皆毒伏於裏裏氣虛弱不能托之即出耳並宜先用托裏之劑令其快出次即補中而兼解毒庶無陷伏倒靨之虞

一有素弱之人皮厚肉密毒氣難於發越亦有體質素

弱風寒易感以致腠理窒塞氣血凝滯故乃應出不出之狀須當分别治之若治之而猶不出此毒伏於三焦則不久而變生矣若有腹脹便結煩燥不安熱甚脉數當微下之若已見點隱隱於皮裏是已發越在表此又不可遽下

一痘瘡氣匀即出快蓋表氣匀則衛氣無滯裏氣匀則榮血無壅可以發表之劑多用行發在表在裏之氣也兼瘡出之辰常宜和緩如三春發生之氣則氣血和暢自然易出易脹易膿易靨若偏於太熱則壯火蝕氣其

氣益虛而不能行若偏於太寒則氣反凝滯而亦不能行矣
一看痘瘡須詳部位如額主心面主胃腹與四肢主脾脇主肝兩腋主肺下部主腎肩背主膀胱各隨見症急為清理使裏無壅滯而便於後補也蓋痘多毒亦多治法本宜解毒但多則氣血周灌不及故又宜隨用大補以助其膿漿蓋氣血充盈足以化毒領載則毒被所制雖察何畏但不宜客於經絡要道耳
一見點之後身熱終不退者是為毒氣太盛也始終宜

用清觧

一初出灰白頂陷不起或起不碍手根窠不紅活身凉而静者此虚寒症也如身凉而痘灰白不進飲食或嘔吐腹脹寒氣上逆或泄清水而手足厥冷者此純陰之症也治宜大爲温補

一有一等白痘其色如粉有盘有頂而肥軟者宜大補氣血

一有一等痘白而肉紅者此係氣虛不能拘血亦因火熱迸行於表故宜凉血以清𦙶表之熱切忌芎歸升散之剤

一有一等痘出已完而熱甚氣滯其皮肉腫亮者是毒

氣在內也急宜內托遲則毒反內攻而死

一便結口渴而出不快者是內有實熱而然也若便利口渴而出不快者是內有虛熱而然也若便利而口不渴而出不快者是內有虛寒而然也宜細辯之

一凡痘必因熱而出因熱而起若熱甚則血燥血枯其出反難故於未見點之先必須察其寒熱預為調理若有熱症不可過用辛熱氣分等藥恐助火邪致滋多變

一凡此辰最所忌者泄瀉須按本條而急治之以杜危机

一凡痘之形色初見吉凶攸分而寒熱虛寔亦已可辨凡調接挽回之力惟在此辰最為緊要且痘出三日内毒在半表半裏之間關係甚重故妄汗則成癱爛妄下則成陷伏寒凉偏用則傷正氣燥熱過用則助邪氣虛寒不補則陷伏痒塌寔熱不瀉則変黑歸腎倘有一差死生立判醫者不可不慎

報點期用方

一痘瘡初出惟有氣虛血熱二症而已此辰宜急治之使白者轉紅活黑者轉淡紅則起灌收成

一路無餘恙矣　一氣虛症則痘色淡白不起發不碍
手不堅定為痒塌吐利為寒戰咬牙為手足涼冷為白
汗為頂陷（為頂有孔）出水為皮薄而軟為灰色如不急為調
補必癢塌而死其治宜保元湯（六一）加酒炒黃芪肉桂川
芎丁香人乳（有瀉不用）好酒煎同服
一血熱症則形帶黑或色紅紫慘暗不明譫語狂亂大
熱不退煩渴浩飲為乾紅腫痛牙齊癰疹肌表紫赤急
宜涼血解毒表托為主秘結者微利之如不急為清解

則黑陷不救宜黄連解毒湯四 或六味消毒飲九九
一又有血虛之症根窠不紅或紅而散亂以手摸過色
即轉白痘上如寒毛竪起枯澁不活瘡乾無膿無血津
液不達宜急用保元湯一六 加川芎當歸紅花及山查以
消參芪之滞再下木香數分而血自活也書云灰白者氣虛也参芪之功爲大乾燥者血虛也芎歸之力宜多又曰用黄芪當在痘点尽出之後投熱藥須看毒氣尽解之辰用地黄防血滞須得姜製用白芍恐酸寒尤宜酒炒是也
一凡痘見點後身熱稍退則無内熱等症或色不甚紅
頂不甚突者便有虛象雖在三五日内亦切不可用寒

凉之藥恐傷脾胃爲害不少須以保元湯六一或大物煎六三之類爲主因症加减以治之

一痘出二三日身熱不退是以血耗而根窠不紅暈者宜用當歸活血散四七加酒炒芩連

一凡見點太早者有吉凶虛寔之辨如發熱一日或終熱便見必血熱毒盛之所致其症多凶但得痘希而飲食如常别無他症亦不害

一凡形氣本弱而痘出速者此榮熱衛虛不能約束於外故出現太驟須養榮兼

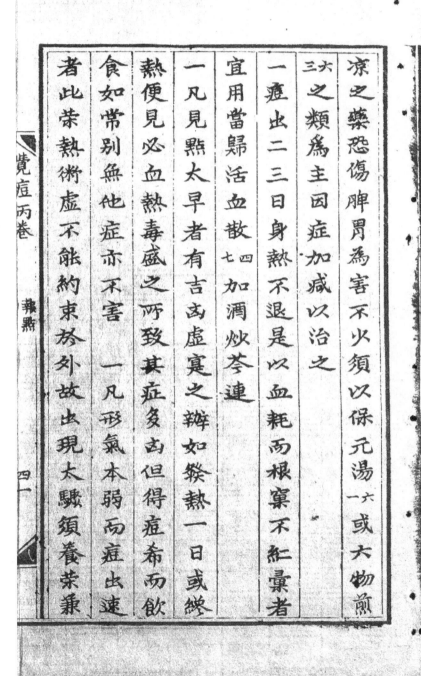

寔表庶無癢塌潰爛之虞宜用寔表解毒湯六四主之

一凡發熱一日便出而密者其痘最為其毒必甚此痘最忌溫補宜搜毒煎二四加柴胡主之或羌活散六五加牛蒡紫草蟬蛻或調元保嬰丹六六熱甚者調退火丹六八或雙解散二二急治之可保一二

一凡痘雖出早而色不紅紫熱不甚者此全屬表虛之症如保元湯一六六物煎六三之類亦所當用

一凡痘出不快二一者有放症須審其有先內傷外感而辨治其所病

一如冬月嚴寒或非辰陰邪外閉寒勝有鼻塞聲重咳

嗽而遲出者宜五物煎九四加生姜麻黄細辛之類或五積散天九亦佳或参蘇飲五四加減治之

一如夏日火毒薰蒸以致血熱氣虛煩渴發燥而出遲者宜人参白虎湯五三加木通葛根主之

一因辰氣不正為風寒外邪所襲以致皮膚閉塞發熱無汗而出遲者其症必頭痛鼻塞四體拘急疼痛宜疎邪飲十九或参蘇飲五四惺惺散七十之類主之

一因邪氣所觸而出不快者宜十宣散五七加減服之外用乳香芫荽以辟其氣

一因劳力在前元氣虛弱而出不快者宜補中益氣湯五八主之取效

一因吐瀉以致胃虛不食而出不快宜理中湯五九主之

一凡本無諸外邪而出不快者此氣血內虛不能驅毒托送而留連於內宜十宣散七五或托裏消毒散七一

一凡氣分大虛而出不快者宜保元湯一六或六氣煎七二齊

一凡血分大虛而出不快者宜五物煎九四或六物煎六三加減治之

一凡內有所傷氣滯而出不快者宜勻氣散七三或橘皮湯七四加減治之　一凡頭面出不快者合用當歸川芎荊芥羌活防風天麻之類為引使

一凡胸腹出不快者合用槀本升麻紫蘇之類及紫草木通湯七八　一凡四肢出不快者合用桂枝葛根甘草蓮鬚紫草葱白各加生姜為佐連進二服則出快矣

一凡痘有不起發者此雖症有不同然率由氣血內虛不能托送者居多此中或宜兼解散或專補元氣當審辨而治之

一凡出齊之後或被風寒所閉而發熱頭疼陷伏不起者宜羌活散六五或參蘇飲五四加內托等藥治之

一凡紅點初出暗昧乾燥不起發者尚宜用四物湯二七

加紫草紅花丁香蟬蛻官桂或調無價散七九量兒大小與之

一放標漸多兼見紅斑而痘乾紫不起頂不碍手身熱

氣粗者宜急用清胃化斑煎五十以表托之

一凡便寔內熱隱隱膿肉間不能起發者宜用紫草飲子八四

一凡血分微熱而毒不能透達者宜托裏消毒散七一以主之

一凡氣虛氣陷而不起發者宜用保元湯六一或蟬蛻膏八八加黃芪

一凡血虛而不起發者宜用芎歸湯七五或四物湯二七

一凡血分虛寒而不起發者宜用五物煎九四

一凡氣分虛寒而不起發者宜用保元湯六一六氣煎七二主之
一凡氣血俱虛而不起發者宜用六物煎六三或托裏散八九
以發之　凡以上補助氣血等劑須加好酒人乳糯米更妙
一凡以毒攻毒而發痘者山甲人牙蟬蛻之屬以毒解毒而發痘
者紫草紅花牛旁犀角木通連喬金銀之屬以升提氣血而發痘者川芎白芷荊芥升麻蔓荊之屬
以解散寒邪而發痘者麻黄桂枝柴胡葛根防風紫蘇葱白之屬以行氣行
滯疏通壅滯而發痘者丁香木香陳皮厚朴山査大黄之類以益火回陽
健脾止瀉而發痘者附子肉桂乾姜肉蔻之屬凡此者亦非托裏起

痘之法然但可以此為佐而必以氣血藥爲主則在乎
四君四物十全大補之類庶乎隨手而應無不善矣
一凡痘出灰白不紅綻或灰黑頂陷或身無大熱皮軟
色光溶溶如溼濕之狀或口不渴飲食少腹脹溏泄二
便清涼皆表裏虛寒之症也
一凡氣虛者宜用調元湯一六 或四君子湯十九
一凡氣虛微滯者宜用五味異功散一九
一凡氣虛宜溫者用保元湯一六 又宜六氣煎二七

一凡脾氣虛寒者宜用養中煎九二或溫胃飲九三理中湯五九以溫之

一凡血虛者宜四物湯二七

一凡血虛宜溫者宜用五物煎九四

一凡氣血俱虛者宜用六物煎六三或五福飲九五或八珍湯百二六

一凡氣血俱虛而寒者宜用保元湯六一加歸熹肉桂

一凡脾胃虛寒而氣滯者宜陳氏十二味異功散九七

一凡瘡色灰白不起發者氣虛也侯出齊以保元湯六一加木通川芎最穩

一凡脾胃氣血大虛大寒者宜用九味異功散九六或六味回陽飲九八

一凡火症熱毒在見點之後速爲清解若不早治必致不救

一凡見點大赤根下皮色通紅此血熱氣有不能管束也後必起發太驟皮軟易破或痒塌不可救宜急清血分之熱用凉血養營煎百十九或鼠粘子湯三七或六味消毒飲九九加白芍治之或四味消毒飲一百或益黄散一百一俱佳

一凡痘已出現毒泄則熱當自解若已出而壯熱不解此毒蘊於内其勢方張其瘡必密宜解其毒用柴葛煎十七或鼠粘子湯三七擇而用之

一凡見點之後壯熱不退或三四點相連色紅帶紫或根窠焦色紅紫成片或口唇燥熱煩渴喜冷舌上有胎或二便燥澁此爲表裏皆熱毒盛之重候急須清熱解毒如表熱甚者宜用柴葛煎十七裏熱甚者宜用搜毒煎二四加柴胡或六味消毒飲加酒炒芩木通梔子黃連山查蟬蛻歸芍紅花之類或退火丹六八加減主之

一痘內黑外白者是毒在裏宜解毒湯五一以清裏

一痘內白外黑者是毒在表宜升麻湯百五八以散表

一凡熱毒内甚而發驚狂譫語宜用紫草煎百三七磨犀角汁調硃砂益元散三四或退火丹解之六八

一凡以上解毒之後紅紫退二便調能食不渴此表裏皆清也切勿再爲解毒須急以保元湯六一四物湯二七六物煎六三之類調補氣血以助灌漿收靨否則恐變痒塌而不能善其後也

一痘内熱之盛大便秘結煩渴脹滿脉見洪數而痘出不快者此熱毒壅伏於内須通利之以祛其熱毒宜柴胡飲子四四或三黄丸三一甚則承氣

湯百三或豬胆導法百四然此惟熱毒在裏痘形未見不得
已而微下之可也若瘢點隱隱於皮膚間者此已發越
在表乃痘瘡正發之辰切不可妄用下藥
一凡痘初出但見紅點稠密急用纏痘藤燒存性加製
過硃砂連進二三服或用薄荷牛旁煎湯調退火丹六八
別用茱萸爲末以水調塗足心引下熱毒亦可解散其勞
一初出而胸前稠密急用消毒清火湯四九
一凡痘变黑乃危候也蓋痘瘡賴氣血滋灌血足氣充

則痘自紅活若熱壅薰爍則成焦黑若陽氣不足則成
灰且黑為水色其虧在腎以陰犯陽最為惡候當辨治之
一熱毒凝聚大便秘結煩燥熱渴而為焦紫黑陷須通
其便先以解裏為急宜用柴胡飲子四四或用當歸丸百五
得利之後即用紫草飲八五或加味四聖散百六以化表間
之毒再仍用胭脂汁塗法百九以塗之
一凡大便不結則別無火熱等症而痘色暗黑總由脾
虛不能制水故見黑色宜速用五物煎九四或保元湯六一

加紫草紅花外點以四聖丹百八胭脂汁百九若漸見紅活則吉若更乾黑則去心鎰云凡治黑痘當用保元湯六一加芎桂補提其氣氣旺則諸毒自散黑者轉黄矣更省雜症卷甚詳

一凡賊痘者於出齊之後其中有獨紅獨赤獨大摸之不碍手者此賊痘也這痘過三日之外必变成水疱甚至紫黑泡皆危症也急用保元湯六一或六氣煎七二加紫草紅花蟬蛻以解之或用燈草木通煎湯調下益元散三四利去心經之熱而紅自退若痘已成水泡宜用保元

湯六一倍加四苓散百十利之此秘法也不然則遍身搽破臭爛而死

一凡痘於未出之先倘有濕瘡膿水流注者用活石末數之以防其漏氣或真正菉豆粉亦可

報點期當用諸藥品

一氣虛症宜用川芎姜蚕桔梗甘草陳皮蟬蛻穿山甲酒釀胡荽笋尖桑虫鷄冠血羊頭腦之類隨候拣用

一血熱症宜用升麻川芎姜蚕桔梗甘草連喬陳皮山查蟬蛻山甲牛旁玄参丹皮生地羚羊角歸尾酒炒芩連木通紅花赤芍地竜蜂房紫草灯心笋尖桑虫鷄冠血酒釀之類隨候拣用

夢中覺痘丙卷　終

130

新鐫海上醫宗心領全帙卷之三十七

夢中覺痘丁卷 目次

目次終

夢中覺痘丁卷

海上懶翁黎氏纂輯
後學唐鄙武春軒奉較

起脹期順症

勿治

一般痘三日當逐日漸漸起脹先出先起後出後起痘胖一分則毒出一分痘胖已盡則毒出亦完根窠紅綻頂肥碍手面目漸腫飲食二便如常而無他症者吉此是氣盛血榮於內發揚於外毒已受制自當托毒成漿不治自愈

一痘瘡之毒氣以喣之血以濡之而後可得以成寔也故於起發之辰先壯者氣有餘也肥澤者血有餘也氣血有餘表裏俱和不須服藥

一痘起之辰磊落分布者乃表裏疎通上下發泄毒氣觧散為順痘也

一痘至起脹其痘頂必有小凹名為痘眼常候也若根脚散大漿色淡白頂無痘眼者此為水痘

起脹期險症

一形大而色枯燥者此氣至而血不榮也治宜補血則其枯燥轉而敷榮也

一色紅潤而形平塌者此血至而氣不充也治宜補氣則其平塌轉而光凸也　一形平塌色枯瘦者此氣血俱不足也治宜大補氣血則其色光潤而形肥滿也

一色灰白者此氣虚也紅紫起發者（此血熱也紅紫退縮者此血滯也）

一四圍沸起而中窩陷者此胃氣虚發不透也

一外白中心成黑點者名曰鬼痘宜攻之

一見多水泡者防其利　一中心凸起（四沿平外黑裏紅此是表邪壅遏急宜發表）

一頭面驟腫而瘡平者可為預防

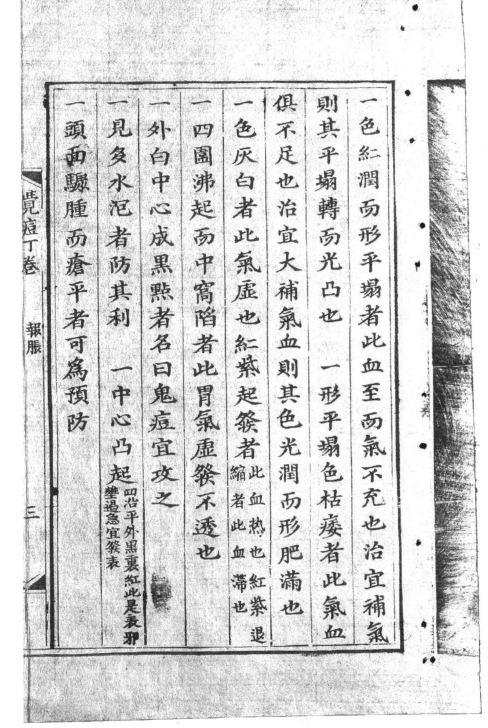

一見目溢淚出者防其膜翳　一起發之辰未成漿而唇口瘡色早已焦黄者最為惡候宜急防之

一痘頂陷不起若年壽之上痘起者不必憂慮如年壽上亦不起者急宜内托及痘當起脹而天庭印堂不起者亦宜内托為主否則漸变不治

一痘雖鮮紅但乾枯而不克肥者此火盛而血不足也治宜退火凉血為主

一痘充肥而帶濕者此脾中有濕而氣不足也治宜去湿補氣兼風藥以勝之但不可太過太早以損釀漿湿潤之氣

一凡嘎齒噤牙者是腎氣旺而腎陰不足也主痘陷伏宜補腎陰而逐之　一痘當起發如四圍起而中心平陷者有二有血化成水四圍高起但中心畧凹下者俗號為茱萸痘由中氣不足發未透徹耳治宜補托有四圍沸起中心陷落無水猶是死肉其形如前者亦名鬼痘急宜攻托否則變成黑點不能治矣

一起壯之辰光澤滋潤勢若水光而根下之紅僅有一線以火照之如琉璃（燈）樣者此為虛起宜大溫補氣血托

裏發表否則八九日間必發癢塌而死

一起壯之辰彼此相串皮腫肉浮或於本痘四傍旋出小痘攢聚漸胖成一塊者此痘最重宜內加消毒切守禁忌以防搔癢之變　一痘紅活充肥以手擦之隨破者此血有餘而氣不足也宜涼血補氣否則後必癢塌

一痘久遇陰雨而不能起者治宜發表而兼燥湿

一痘因內傷飲食是以腹中飽悶或痛以致中氣被欝而不起發者治宜發表而兼消導

一癰舊有瘡瘍不愈者尚宜培補氣血佐以攻托

一癰形板寔而不鬆者血滯而毒絆也平塌而不亮托者氣弱不能拘毒也宜滋補亮托猶可救之

起脹期逆症

一顆粒叢聚根窠堅硬似瘤之經而不痛似核之堅而不動似癰之腫而不潰者此氣血凝滯而不流臟肉敗壞而不化毒氣鬱積而不解此為逆症也不出四五日必癢塌悶亂而死

一有初出稠密糢糊不成窠粒至於起發盡成大泡清

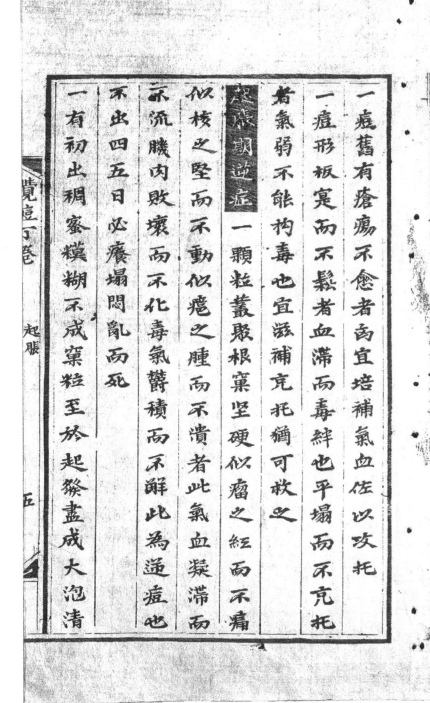

水虛痒者此乃衛氣不斂爲遂瘡也不出二三日皮膚肉乾悶乱而死

一見頭面頦腫此乃五臟精華散魄瑰離之兆也不治

一遍身皆壯而頭面不起者死

一腰腹俱痛遍身紫黙如蚊蠶所咬全不起脹或發而爲紫泡者亦死

一遍身黑陷悶亂不寧神氣昏憒者死

一瘡頂陷灰白紋路出部根窠血散更加泄瀉煩渇唇白痰喘不思飲食者是氣血俱敗也不治

一起脹辰啼哭不已日夜呻吟煩躁不寧狂言悶乱如見鬼神者不治

一吐利不止乳食不化或二便出血者不治

一起脹辰有六七粒細而成塊於中有一大者扁濶歪斜者不治若在腿足一二處宜銀針挑破以油胭脂塗之

一手足處現而復隱者起而復塌者此根本已壞枝葉先萎之象也死

一起脹辰痘如煙霧罩定者不治

一凡全不起脹變成灰陷者或紫陷而不起或乾枯陷伏或發水泡痒塌者是皆血離氣背致毒下陷而外剝也不治

一痘色如白飯平塌不起者死此毒盛氣滯不可認為虛寒之症也

一痘將起發其中有發血泡者此毒伏於心也不治

一有發水泡者此毒伏於肝必旋見痒塌而死

一起發根窠大紅頭面皮肉紅腫如鍬瓜之狀者七日死

一若遍身痘頂皆黑其中有眼如針孔紫黑者三日死

一若兩腮處腫成塊肩膊腰臀皆有成塊堅硬者五日死

一若先出痘形而漸漸不見者三日內死

一初出之辰半是水泡或纔起發而便載白漿者或未成膿而即乾收者是皆火性燥急不應至而至早發還

先萎也總是火毒所為倏忽之間饑息氣絕而至死

一凡起發之辰痘瘡稠密又見陷伏煩躁狂叫之症或口中出臭氣者此毒火薰蒸肺敗胃爛之症也或不食失聲者咽喉潰爛也寒戰咬牙者邪傳腎也悶乱者神氣衰也體寒者陽脫也或嘔或瀉者腸胃俱敗也經曰五臟氣絕於内者利不止六腑氣絕於外者手足厥凡見上等症並為不治

一凡痘起一分則毒出一分至五六日不盡起發者又色不紅活者决無生理

一起脹三日已足痘皆滿頂紅紫者面目腫甚者亦凶

一凡起脹腰腹大痛脹不能食或氣促神昏或悶亂不寧或泄瀉煩渴或唇白痰喘或狂言譫語啼哭呻吟者皆死

一凡痘起發辰瘡頭便載白漿者不分何處並非佳兆不特口唇肰也

一凡痘起紫色刺出黑血如屋漏水者死

一眉稜一片灰白而竅甚者必至啞嗆不食九十朝必凶經驗

一眼蛤之後流淚如膿淋漓不斷者必变壞症不治經驗

起脹期總論

一痘之出以氣血和平為吉尖圓堅寔者

氣也紅活明潤者血也紅活而平陷者血至而氣不足也圓寔而色淡者氣至而血不足也平塌灰白者氣血俱不足也撇腫紅綻者氣血俱有熱也若痘至起發則欲透而磊落尖圓光壯肥澤者上也如根脚横開皮起水脹者次也

一於三四日痘出當齊點至足心勢方安定若猶有陸續不出之狀或隱隱於皮膚之內而不見不起者非風寒壅遏之因必內虛不振之故是以四日以前痘毒方出身表宜凉四日以後身裏宜溫凉則氣血和平痘色

必然潤澤温則腠理開通其毒易以成漿至此身若不温雖未至於冰伏而痘瘡斷必難長矣

一凡四五日觀痘瘡之形色則知氣血之壯弱受毒之淺深矣其形尖圓光澤其色紅活鮮明氣會血附者順也若稠密連如蠶重及黑陷乾枯水泡痒塌氣背血離者逆也若根窠已起但色不光潔氣雖旺而血不附者險也順而自愈者爲氣拘血附各得充足而毒自釋也逆而不治者爲氣血相離縱毒内攻也險而可治者爲

氣血稍弱然得交會今明故勢雖挾毒犯上而能助衛調榮自可化毒成功矣　一凡痘瘡放標之後漸漸起脹但肥胖一分則胎毒發出一分胖盡而毒盡出也有不起者或因元氣之弱不能送毒或有雜症阻滯不能升發皆痘前之失調理也此辰當速圖之否則後難為矣

起脹期治法　參看前險症

一痘子起發不可拘以日數瘡出以漸其發亦以漸調之適中若有一齊湧出者即皮肉虛腫一齊掀發此表氣虛毒氣奔潰而出表虛則不能

收歛必生痒痛潰爛矣其治急宜救表為主

一痘已出盡當起不起此裏氣虚毒氣留伏壅而不出必生煩燥脹滿喘促矣急宜救裏為要然痘瘡發膿肉陽明胃經主之脾氣一温胃氣展暢决無陷伏之患矣一至四五日間血泡已成理當起脹如果肥大而粗根紅而頂光色白者已具行漿之勢若還赤色過頭雖見嬌紅可愛然綿延至六日必依然空壳虚花皮薄而光亮如燈内含是水頂尖而根脚不紅行漿不寔熱毒盛

而不觧則為紫為黑墊而不起則為陷為塌滯而不榮則為乾為枯為青為灰怯而不振則為不快或為停漿肉先腫脹而痘反不起漿則滯而不行面已虛浮而痘反退縮毒則過而不進身不熱而痘不起已成氷硬之形赤色若還不变温之可與氣血弱而不振遂成不快之狀紅潤依然如舊補之可壮紫色乾枯只宜活血鬆肌切忌温中帶補為墊為滯烈藥雖然可發透肌尤是良方溏泄惟宜温補為先从瀉佐以升提為要此驗痘

之經常而用藥之大槩也　一如頂皮不起根脚不開猶是先出之形不見新生之水者此即謂之起發不透如氣本實者此必有感風寒宜用發表如氣本虛者必不能飲食或兼吐利宜補中氣而兼托表若辰日已多發猶不透是以煩燥不寧啼叫惡熱者此熱毒在裏宜急鬆肌表托而兼觧散熱毒導引心火可也

一譫語而妄有見聞辰發狂叫者此五臟熱毒蘊積而陽毒盛無陰氣以和之必大便不利宜微通之使裏無

留滯而外得快利也若甚至昏不知人腹脹啼呼者不治
一起發要得不疾不徐以漸長大尖圓磊落光壯堅寔
根脚紅活此氣充足載血而行透徹諸瘡自然尖圓光
壯不須服藥如雖紅活而頂平中陷不成尖圓色嫩皮
薄不能堅厚必變為痒塌留伏壅遏乃氣虛也急宜補
氣若瘡皮薄色嬌滛滛如濕者此氣不勝血宜補氣凉
血如浮囊虛起空殼無水者此氣不依血血不附氣必
變為癢塌為癰腫矣宜大補氣血如十全之類

起脹期用方

一痘雖起發然皮薄不碍手按之清水便出而痘色不暗者此為假脹急宜参朮芪草姜桂之類提氣灌膿否則不能回漿結靨而死

一痘因觸而致陷如石臼硬者則以芎歸姜蠶参芪姜桂主之

一痘因諸狩驚動隨伏而色変者是心失其主而血不能附氣不能托急宜托裏加仁参遠志之類

一痘漸平塌頭面漸腫者治宜急用刺角穿山姜蚕之類透托否則散漫無拘肉腫而痘不腫矣

一瘟紫陷不起或黑如疔者此血令大熱急用丹皮紅花紫草當歸升麻燒人糞之類外則挑出惡血可也

一瘟近起發中心突起四圍乾平無水者或内紅外黑者此由皮膚閉密滯而不行瘟毒欝而不散耳治宜辛凉解肌外以水楊湯浴之二百十二以清其欝

一遍身俱起獨手足不透者此脾胃虚也急宜參芪朮加桂枝補而托之

一如身熱不退或身痛不止或因風寒所逼或因暑氣所併而無二便閉塞煩喘之症者此邪在表不在裏宜

柴胡桂枝湯四二以發之表和則出順但不可過汗以喪津液

一痘宜漸發者吉若一齊湧出皮肉虛腫者此表虛不能收接故奔潰而出後必痒塌潰爛急宜人參固肌湯二百十三或芎歸湯七五　一凡血熱出速者宜用養榮湯百十八

一凡虛甚而起遲者宜用六物煎六三　一凡毒盛出速者宜用六味消毒飲九九或四味消毒飲一百出入用之

一凡痘不起發或起而不透多由元氣內虛不能托送故毒氣留伏而不出也毒不盡出則變症莫測凡見此

者急宜救裏以托毒然當審其氣分血分别而治之方可蓋痘之壯寔由乎氣肥胖由乎血氣主喣之血主濡之若形雖壯而色見枯者此氣至而血不荣也宜用四物湯二七加人參麥冬之類色紅潤而形平塌者此血至氣而不充也宜用保元湯一六或六氣煎二七加川芎主之

一凡痘形色俱弱而不起者此氣血俱不足也宜用六物煎六三加减主之或保元湯一六或十全大補湯百十一調無價散七九或用獨聖散百十四與之

一凡遇冬春之辰為寒

氣所鬱不能起發者宜麻黄甘草湯百十六加歸芪或十宣散五七主之　一凡遇夏秋之辰火盛不起而煩渴秘結内熱者宜用人参白虎湯五三　一凡起脹遲延不經者宜用保元湯六一或六物煎六三加丁香山查糯米人乳好酒以主之或用無價散七九量兒大小以好酒調服

一起發遍身皆欲其透惟四肢稍遠難齊若脾胃素強能食者勿慮惟脾胃素弱食少者四肢多有不透以脾主四肢津液不能灌溉故也宜以補脾為主宜用快癍

越脾湯百二三加當歸或用黃芪建中湯百十七加人參防風主之
一凡因誤服涼藥而致白塌不起者宜用理中湯五九或
胃愛散百二十　一凡痘雖起發若灰白色或頂陷者氣虛
也切不可用寒涼之藥須用六氣煎七二加丁香人乳好
酒主之或保元湯六一倍加酒炒黃芪當歸亦佳
一痘起發紅活若頂平色嫩皮薄不堅厚者此氣虛也
恐必变為痒塌宜六氣煎七二或六物煎六三加減主之或
十全大補湯百十一或十宣散五七皆可擇用

一凡脚地紅而血散不附者宜用保元湯六一加白芍歸稍以收斂歸附氣位　一凡根窠淡絲線彙枯燥者血虚也宜保元湯六一加芎歸酒洗紅花再加山查以行參芪之滯必加木香以行氣而血自活也

一凡痘雖起發而乾枯無水或青紫暗色不久必变黑陷乃血虚之甚也宜用四物湯二七加人參麥冬紅花紫草或調無價散七九外用水揚湯百十二浴之並用胭脂塗法百九

一凡痘雖起發乾枯無水者謂之不肥澤滯紫暗色者謂之不紅活其变爲黑陷乃血虚也宜内用四物湯二七

加減外用胭脂汁百九塗之　一凡痘瘡紅甚而引飲不止名曰躁痘宜犀角地黄湯二六主之　一凡痘色紅紫滿頂或掀腫者此血熱毒盛宜用凉血養營煎百十九加丹皮木通牛旁之屬以主之然痘出六日以後有此症者多凶

一凡痘已出齊而熱尚不退或煩燥發渴引飲或二火司氣之令可以與冷水數口無妨蓋水性下流不滯上膈亦由使毒從小便出但不可用生藥之類恐傷脾氣

一凡痘瘡貴顆粒分明若彼此相串皮腫肉浮或於本

痘四傍旋出小痘攢聚胖長漸成一塊此候最險宜用快癍湯[百二二]合六味消毒飲[九九]以解其毒

一凡痘出臍後有小孔自頂直下至脚不白不黑與痘色相同者名為蛀痘此因表虛腠理不密而致也失之不治則大泄元氣不能起發速殺人之禍也宜用保元湯[六一]或六氣煎[二七]倍加糯米川芎丁香以提氣灌膿内補其孔甚為捷徑連進二三服必孔滿而痘自起若至黑色則為疔也

一凡口唇為脾之外候人以脾胃為本不可受傷如初

發熱見口唇焦烈此毒氣攻脾乃惡候也宜用瀉黃散之類以速解之若不早治則毒聚於唇及衆痘起發而唇瘡已先熟內帶黃漿及諸痘成漿而此瘡已靨唇皮破脫漸變嘔惡瘡水昏沉不可為矣

起脹期當用諸藥品

一氣虛症宜用川芎天虫陳皮甘草桔梗穿山角刺人參黃芪山藥酒炒當歸糯米圓眼桑虫酒釀之類隨候採用

一血熱症宜用川芎天虫甘草桔梗山查連翹羚羊角玄參丹皮紅花生地當歸

白芍粘子(酒炒)苓連石羔蝦金汁地龍紫草穿山甲燒人糞燈心笋尖糯米桑虫之類隨候採用

灌膿期順症(勿治)

一痘毒必由膿而化故曰有膿則生無膿則死然膿者氣血之功也是以頂肥光潤根窠血聚者則自有膿者吉兆

一四五朝身發潮熱頂白根紅飲食二便如常神氣安靜者乃吉兆也

一痘至(五六)日毒化成漿初变色白次变色綠後如黃蠟肥滿光澤根窠紅活按之皮堅硬憏膿軟(更無)他症者吉

一根窠紅活為陰血得宜痘頂変白為陽氣得宜乃氣血交會而膿漿淳厚者是血所化而毒所附則陽中有陰是乃陰陽交泰吉之象也　一凡不先不後腫過頭項漿到胸前其膿帶黄色者此為真漿其陽物頭上亦要漿先滿為妙

一凡痘自起發之後小者漸大平者漸高陷者漸起外帶微紅内含青漿以至灌膿之辰个个成膿根脚紅活其形圓滿光澤此辰毒化成漿上吉也

一凡痘密者行漿壯大未有不相貫者雖相連屬只要

根脚今明陷者盡起無處不透則毒從漿化亦吉

一凡痘之初出或頂平或中心陷下或色白只要其人能食二便如常治無乖謬以及灌膿之辰陷者微起平者微尖淡紅者紅活窠中血水盡化為膿但得如此毒已解矣又表無痛痒之症裏無吐瀉之症是表裏俱無病也如此者坐待收靨不可妄投藥餌

灌膿期險症 當治

一失氣腸鳴貢響者足陽明之病也機同泄瀉穀氣消亡之兆不可輕也

一正面諸瘡切宜防守不可破傷若有一處缺損必生痒塌
一兩手足背漿亦要滿此屬脾胃否則臨靨必不能食而多变症也
一凡看痘必須詳察痘母光潤膿漿充滿則雖餘痘次之終亦無害若見未充宜補托為主
一痘遍身膿灌忽变灰白者此属虛寒也宜温補托裏如变紅紫者此屬寔熱也宜凉血清表然亦有因邪觸者其来必暴不可不辯
一痘灌膿作痛不止其症有二有氣滞作痛者痘必不光澤治宜行滞如熱血作痛者

痘必紅紫治宜涼血然不可太甚恐血滯而漿停也

一凡眼眶紫黑者是梟毒攻肝而肝受損也或因久咳亦然

一頭面行漿而下部空虛者則毒標於上可免危亡之患若手足先灌而上部空虛者則毒氣已陷於其內也難免喪生之害

灌膿期逆症不治

一頂陷灰白根窠紅散者必無膿漿死之兆也蓋毒假漿成而毒從漿化也

鉄甲

一痘色形紅紫焦枯粘肉不起而皮厚黑如鉄桃之

不破無漿血者謂之鐵甲痘乃氣澁不營血枯不潤必八九日死

生痘

一如十日以後正當成膿結靨之辰其形平塌其色紅紫外不胖壯內無膿水此名生痘乃血至而氣不至不出十三日腹脹喘滿而死

一膿期而痘見有臭惡之氣者凶兆也速宜清熱解表以圖萬一

一膿期忽而眼開者及神光不明珠色漸轉紅赤者不治

一純是清水皮白而薄與水泡相似者則三四日抓破而死然有內含清水外帶黃土色者不可認爲老漿以

致不救宜急温補十生一二

空倉 一痘色乾枯全無血者名曰空倉痘决死不治

一痘抓破天庭山根出鮮血者不治

一兩臉光硬色如橘皮二便俱秘目閉聲啞腹脹臟肉黑者死

一吐利不止或二便下血乳食不化湯藥直下肛門如筒及痘爛無膿者死

一諸痘有漿而天庭不起者不治

一紅腫早退瘡陷無漿目如魚睛者不治

倒陷 一痘膿漲眉心鼻準耳輪唇口兩頰先有焦枯黑黶者名曰倒陷不治

一頭面腫大瘡盡拆破黑陷深坑惡臭異常咬牙噤口者不治
一寒戰悶亂腹脹煩渴氣急咬牙頭溫足冷者凶
一辰辰張口似吐不吐有聲無物及聲嘶者此胃中有瘡腐爛在內乃至惡之候宜急治之遲則喉爛而死
一中心黑陷四畔突起載漿者此血隨毒走氣不為用也若中心載漿四畔乾陷焦黑者此氣附毒出血不為使也若為血泡色紫易破者此血熱妄行不能自附於氣也總為不治　一痘出正盛或至痘後而聲啞氣噎

者及藥食噤下而腹中即鳴者死

一瘡如針孔漿水白出此衛氣已敗其液外脫也必死

石白

一痘四畔突起中間有凹形雖光亮好看內塞漿板不化此名石白痘必不灌漿必死之症也

一口中無物而唇嚼者死　一膿唇紅紫黑色外剥声啞者死

一頭面預腫大瘡盡掀破臭不可近而足冷者必死

一忽然作痒正面掀破皮脫肉乾者死

一純是清水皮薄而白如水泡者三四日必掀破而死

一凡二便不通腹脹肉黑發癱譫妄氣喘或寒戰（交牙而死）

一諸痘有漿而天庭不起或額上如沸湯澆破臭連兩臉水去而乾似靨非靨者死

一凡漿膿未成忽然乾收或青紫黑焦者死

灌膿期總論

一痘至養漿尤宜謹守諸禁戒蓋在起發之辰其病未久氣血猶彊猶能禦其乖戾之氣至此則氣耗血虧火有乖戾不能仁矣况在成寔之候耶

一五六日之期順候漿行半足虛癒方見分光毒重而

壅遏者必乾枯退縮氣盛而掀發者必飽滿光榮頭面
行聚而四肢未起見之切莫慌張腿臁發泡而臉額焦
枯見之且休歡喜已懼其發嗆愁其失聲且又慮其喘
急喘急恐其腹脹飲食不多或致臟虛而內陷水漿頓
進恐來泄瀉而復煩調理失宜倒戈反掌熱盛煩渴到
此休依寔論再加泄瀉此辰只作虛看黑紫乾枯急攻
發而或生氣虛塌陷重溫補而幸活瘡或白而少神根
雖紅而莫治皮不起而離窠脚雖赤而難生淡白塌悶

此內必無漿汁皮薄嬌紅有漿亦是清希發此四端八九日必然發痒若還壯熱燎人不痒定行乾燥至若紫色乾枯不須著眼定然內中凝血積或可幸而成漿水三日而焦紫者猶可轉斡旋之功七朝而焦紫者難以施挽回之力漿既行而半足辰尚未宜收斂忽爾一奇紫黑自古名為倒靨請君莫認謂之結痂攻發若得其宜此症猶堪復活傍生血點再行漿伏毒憑之而解散至若氣急而腹脹黃泉在邇失聲而嘔喘陽數無幾

一痘出現三日則起脹漸乃養漿繼而結靨初出辰其形小其色紅乃是一點血至起發其形圓其色紅白乃血化爲水也養漿則其形大而堅其色紅而黃乃水化爲膿也結靨則其形大而軟其色紅而黑謂之蒼蠟此膿氣欲靨之狀如葉之氣自然外皮軟內肉爛而已結寔也

一或問痘之膿漿自何經澄來亦自何經收去蓋容光所照日月之真明也滿潤所發河海之淵源也夫痘之起於腎而伏藏於腎天一生水腎居之焉腎之所主者

骨髓而痘毒所伏也是以膿漿亦始於天一之水然乙癸同源而肝榮助之故其根本原於腎主尊推於心調暢由於肝衛養在於肺收藏伏於脾水火相濟以成其功賴土以成其寔故痘終変而黄者是陽明土之正色也是以毒伏於腎振於陽明又終以生化之土而歸藏之故痘無漿則毒不化漿不足則毒不盡毒伏於腎必賴腎以發之土以化毒必賴脾以收之故膿漿之來雖由於肝血寔資於真水真水者即真陰也膿漿之收雖

賴於脾土寔藉於真火真火者即真陽也膿漿之理於此瞭然矣

「灌膿期治法」參着前險症先師曰按前哲之論可謂備悉矣但於大補氣血之中重用天蟲甲片之藥不無仍借有形藥力之猛而逐無形變現之虛若遇大虛根本不固者正氣無力主持必仁毒藥攻逐之性奔潰無依浮腫之患不能保其必無也余要窮求之始得至理凡於發熱見點之辰按其脈之陰陽而施治之如脈洪而屬陰虛者則於補陰藥中加以鼓舞之藥如脈微而屬陽虛

者則於補陽藥中加以鼓舞之藥陰陽既和痘點自出排列勻淨磊落肥粗斷無團聚細密歪斜不正之形焉有後日散漫皮膚之患至於勢將起脹行漿亦必按其脉之陰陽虛寔或從陰或從陽預為調理仍加鼓舞之味則正旺足以制邪邪無虛可湊而順正矣蓋痘所賴者氣血欲補其氣必重脾元况土德能化毒也欲補其血必爲滋水蓋滋水兼得養血也然脾土之益亦賴真火以生之真陰之長更賴真陽以呴之余深悟其旨凡

遇氣虛之症古人用參芪飲加肉桂名爲保元湯博愛心鑑一書已備言其功矣若陽虛脾元不足之症更宜參芪白朮姜桂恐其燥槁少借酒炒當歸投之則起脹灌膿便得捷效至於陰虛不足水虧金燥之症古人未有專方余用熟地爲君山藥爲臣少借肉桂三味濃煎另煎人參冲服但用人參勿用黄芪則行漿成寔亟奏神功要知真陰者乃腎水而非心肝之血也真陽者乃命火而非脾肺之氣也是以滋腎水重熟地而不用芎

歸補命火乃肉桂而非芪朮故余於重痘灌膿之日但用地藥參桂數味與水火有情方得性純而力峻不兼以天虫甲片與氣血非類焉能荷正以祛邪既有熟地滋水以專功更得肉桂走竄化膿之神力山藥養胃人參駕驅氣血得力自能化毒成功膿漿腐熟隨手飽滿蓋膿漿之來雖由於肝血寔資於腎水膿漿之收雖賴於脾土寔藉於真火耳然發表辰用桂者能走血分無微不達也膿辰用桂者蓋桂能使血化為漿也漿靨辰

尚有可用者使餘毒盡化於表而無留伏之患也倏至
氣变純陽膿漿腐爇方报清凉解毒如盛暑炎灼而忽
凉風一至更見其神矣其用桂不用附何也附能直達
陰分非若桂之走竄達表更能上行且達血分動而速
者也用攻托之藥者以力制毒也用喣嚅鼓舞之功者
以德化毒也制則由乎勉強中多反覆化則由乎自然
終始無移心求至理敢補所遺
一凡六七日氣盈血附光絜飽滿毒自化而成漿者順

也若氣陷血衰不能成漿其毒內伏神去色枯者逆也若光潤有神但因氣血不足或榮衛少虛而未成漿者險也順而自愈者爲氣血得中其毒自解也逆而不治者爲氣血相離不能制毒而外解也然有發疔發癰者可生外剥內攻者必死險而可治者爲榮衛少虛氣血少寒不能振作如四君四物保元加桂米之類以助成漿則何患之有哉

一凡膿者血之变也痘瘡初出一點血耳漸起漸長必由血以成漿由漿以成膿始成寔矣故有則有膿無血

則無膿也痘既灌膿大勢已成此辰必以有膿爲生無膿爲死乃必然之理也故六日以前有熱則解毒無熱則宜調養氣血至此自然灌膿若痘至七日以後頂陷不能灌膿者必由先失調治故也所以治不可緩必俟漿足斯可回生若頂陷灰白漿膿不至此爲氣血俱離無生意矣灌膿期用方一痘色紅紫漿不滿足欲成乾枯黑陷者急用歸芎生地之類活血凉血充托灌膿

一痘已灌膿至七八日大便久閉者急用歸尾枳殼生

地黃芩之類否則至於靨辰必發大熱而死
一灌膿辰痘似充滿而中寔空軟者此名空倉極惡症
也若痘中畧有清水根窠起脹血附絲活者急用參芪
芎歸人乳之類以救之　一痘灌膿專以脾胃為主脾
胃彊則氣血充寔漿膿成而飽滿堅厚不須服藥脾胃
弱則氣血衰少所以不能周灌故雖有見漿亦不滿或
清淡灰白不能作膿即所畜微漿仍是初辰之血水而
漿薄無以化膿也總屬氣血大虛之候若不速治必成

內攻外剝之症宜急用六物煎六三或六氣煎七二加減主之或保元湯六一或十全大補湯百十一加人乳好酒服妙

一如痘當作膿之辰猶是空殼此血不附氣也血既不至毒何由化宜五物煎九四或四物湯二七或紫草飲八五加蟬蛻主之

一痘起脹光澤可觀然以手摸之則軟而皮皺此漿未滿而氣餒卽宜用保元湯六一以托裏否則難靨甚至癢塌

一痘灰白漿不滿足皮薄易破欲成倒靨者急宜保元湯加桂米主之

一痘頂陷無漿者爲逆但得根窠紅

活血猶不散急用保元湯一六一加芎歸白芍丁香糯米煎熟入人乳好酒温服若地紅有熱去丁倍芍加地骨斂之

一痘色白如水晶內無膿者但得膿痘相間者猶可治若純是如水晶色決死如初見者急投內托散十六加丁香乾姜或用木香散百二九加糯米好酒人乳服之以圖一萬

一痘正壯之辰雖起壯而皮膚無力按之水漿就出雖內色不暗此名為假壯至十一二日決不回漿結靨內攻而死宜用保元湯一六一加丁芎便是不必千金內托也但按本方倍使用之

一手足灌漿飽滿者脾胃之強氣血之充也若色見灰白漿水清薄或陷塌不起者此脾胃弱也或灌漿已完而四肢猶有不灌者宜快斑越脾湯百二三或六氣煎七二加防風白芷以達之庶無陷伏之患若毒有未透亦恐關節處靨後致生癰毒　一有感風寒邪居表鬱而不灌者宜溫散之用柴葛桂枝湯二百三九加黃芪白芷

一有熱毒熾盛身發壯熱津液乾涸小便赤熱而不灌者宜托裏解毒利小便用紫草飲子八四或用神砂六一

散百二三解之候熱退後用保元湯一六一如熱甚者宜用連翹飲二五　一凡大便堅寔數日不通而不灌者宜猪胆導之百四使氣得通營衛和暢不然恐致黑陷

一有觸氣而不灌者外宜薰解用胡荽酒百二三或僻邪丹百三內服紫草木通湯七八或紫草快癍湯百三六

一欲辯脾胃強弱當於飲食二便察之飲食雖少而大便堅者脾胃猶彊也但微加調補以能食爲貴若便不寔或溏泄則最可畏蓋瀉則漿停瀉止則漿灌矣宜速

用温胃飲九三或甚者用陳氏十二味異功散九七主之

一灌膿三朝之内若身凉而痘色灰白或不進飲食或寒氣上逆而嘔吐或腹脹或瀉泄而手足逆冷此為純陰之症急用保元湯六一加二僊散百三一連進數服甚者必須九味異功煎九六或陳氏十二味異功散九七皆可擇用若寒戰咬牙泄瀉等症俱同此治

一七八日間其漿已成而寒戰咬牙者此裏虛也急用保元湯六一加丁桂主之如戰止結痂者佳

一凡痒塌不止者雖曰氣血俱虛亦由火力不足故不作痛作痒也宜用六氣煎七二或五物煎二七加防風白芷木香蟬蛻主之心鑑曰氣虛則愈痒當用保元湯大一倍黄芪以助表少加白芍以制血其痒自止

一痘抓破成痒者此内陷也用白龍散二百七以外敷而内補托可也若連片皆有或處處有二三个者凶

一凡鼻準兩頰顴角高突之處稠密者是五臟毒氣所聚最易擦破此地一傷則諸瘡盡伏毒即内攻故宜切

為守護如誤抓破即宜牢封仍服內托散（十六）或補藥若得復起充灌諸痘如常或空處增出贈痘點雖細小易灌易靨是餘毒得以復出又為吉兆（如服後不起不補此毒深為最凶也）

一凡灌膿痛楚不止者氣滯也少下保元湯（六一）加山查木香以行滯氣如膿色盛滿者宜大（下）四苓散（百十）以利之而痛自止

一灌膿辰聲音低小者不妨如忽然聲啞腹脹氣粗者其四圍緊要之處必有疔或賊痘宜急挑破以胭脂汁（百九）合珍珠末牢封之

一凡頂陷膿少或服內托藥而漸起復陷者血氣大虛也宜用十全大補湯百十一和人乳好酒服倍加參芪當歸糯米此助灌膿之妙法也

一灌膿辰發白泡如蟬子者用棘針刺去其水外以滑石末敷之內服保元湯一六或加石榴腹皮茯苓以利皮膚之水或用白朮茯苓以壯脾利水若發紫泡不治

一方灌膿即有回意太早者須防元氣不足宜用保元湯一六而兼托裏或痘燥者是為血虛尤宜養血

一灌膿已滿熱毒已解至收靨期數日不焦者若痘色

如初此而無妨非氣虛不能收斂必脾虛不能滲湿但用八珍湯百二六加補脾利水之藥而痘自斂矣

一凡灌膿辰痘爛成片膿水不乾者宜大補氣血兼滲水之藥外用滑石末或敗草散百二八敷之加琥珠末尤甚妙

一痘將膿辰忽面上有乾靨者卽倒陷症也急用八珍湯百二六或六物煎六三加金銀牛旁連翹麻黃之屬水煎烝調獨聖散百十四服之服後若乾者復起作膿未乾者即壯而飽滿或空處再增小痘者上也若痘不作膿空處或

發癰毒者次也若連進三服而乾者不膿未乾者不能補痘不多最險症也宜十全湯百十一加金銀調治之一痘瘡有重出者如痘瘡破損潰爛處但得復膿復灌不致乾枯或於原無痘處復出一層如初出亦漸漸起發灌膿者此皆餘毒未盡賴裏氣充寔毒不得入故又出於表而不成倒陷是皆逆中之順症也但痘瘡重出一番必其人能食而大便堅乃足以勝其再作之毒自無足慮矣若食少而大便潤者宜用十全大補湯百十一以調

之若自利者宜陳氏十二味異功散九七與肉豆蔻丸百二三主之蓋病久氣虛惟利温補不可再解毒也若食漸加多此胃氣復也吉若素不食忽食多異常此胃敗邪火殺穀之候也

灌膿期當用諸藥品一氣虛症宜用黄芪人參炙草肉桂當歸鹿茸熟地淫羊藿桔梗山藥桑虫甲片角刺河車泡姜川芎附子木香丁香肉菓糯米圓眼公雞蓮肉嫩羊肉人乳雞子大棗之類隨候採用　凡灌膿前用參芪宜芪多參少蓋補表重而補裏輕也若中氣虛甚不在此例

一血熱症宜用紫草鹿茸參連川芎天虫桔梗麥門玄

參石羔煅陳皮丹皮生地紅花赤芍當歸鼠粘子穿山甲桑虫露蜂房皂角刺燒人糞金汁人牙地龍笋尖之屬隨用

收靨期順症 勿治 一痘靨自上而下者順惟有先從陰莖上先收者亦爲佳候 一人中爲陰陽之界任督二脉在此分宜此中先收靨爲陰陽相濟最吉

一靨期有臭氣者臭而帶腥者此成痂之氣邪氣自内而外也爲毒盡化者吉兆

一痘至血化毒解膿如蒼蠅之色從口鼻兩顴人中上下面部收起漸至胸腹而下以至兩腿始乃額與脚背

一臍結靨內症全無飲食如故神爽身輕者并手足心或手指尖及陰上先收者吉

一痘將靨辰而身有微熱者乃燒漿之症但飲食如常俱不必治

收靨期險症當治

一靨從脚上者為逆由至心窩便死宜急提元氣使回漿自上而下者為妙

一痘鼻梁上先焦者雖凶不死

一痘收靨不宜太驟太遲驟則餘毒留伏遲則潰爛不成痂

一頭與足為陽孤陰寡故有難靨之理

一收靨要得蹙齊若腥臭潰爛而過期者為順未及期者為逆
一有濕氣太過瘡破浸淫是以犯之而潰爛難靨者俾
脾彊則生脾弱則死然有因前膿未曾灌透色白灰粉
至十三四朝復灌行漿此雖愆期治法宜同正候惟因
肆食毒物透托太過是以熱鬱于中作爛極痛者治宜清火解毒
一十二三日其痘收辰如火燒烟之象此辰生死當看
舌紅喉清言語不變飲食能進二便如常者吉反此為逆
一痘當靨不靨發熱譫語大便秘結煩燥微喘者是熱

毒秉於肺經無陰氣以斂之急用清金解毒甚則下之

一膿汁不乾而能食者宜辰與葡萄食之以其能利小便也

假收 一面上痘子稠密而忽一辰盡黑者此為假收若作正靨治之不早必致死矣

生痘 一靨辰全無臭氣名為生痘尚有餘毒未發也又若氣臭如爛肉不可近者此為毒火敗壞之氣雖已結痂未可便為吉論急宜清利解毒緩則變生不救

一痘歛收而唇口乾紫連結渣滓而頰紅者是乃將成

肺癰之候也治宜清肺解毒

一靨至頸至腰而數日不靨者有熱則清利二便無熱則補元氣助脾滲湿

一喉內瓚緊難靨者且飲食難嚥煩燥作渴者是熱流肺胃也急宜清利勿視為常倘足冷自利者乃上熱下寒宜用從治引火歸源切忌凉藥

一靨後忌食五辛恐其熱毒薰於肺膈眼生障翳耳

一此辰尤宜加意提防禁忌不然則一簣功虧九仞之悔也

收靨期逆症

難治

一痘當靨而遍身未見稠膿惟口唇上

下痘先黄熟者是痘毒氣内攻於脾也并諸瘡未靨而口唇先潰爛及唇白倒舌者並皆不治

一痘至收靨口中無物而空嚼不止者死

一發痒抓破不見膿血皮捲殼乾者不治

一面部肚腹未靨而脚先靨者不治陰勝陽也

一遍身臭爛不可近痰壅氣促目閉無神者死

一痘将靨而寒戰咬牙手足搖動口噤目閉腹脹足冷過膝者不治

一遍身雖靨尚存數粒不靨者猶可殺人

一凡病後弄舌者凶　一節皮前有破傷退而不全者死

一自項上或至胸前而俱不靨服藥不效者不治　蓋氣血亦寒也

一回漿之辰漸當蒼黑收斂而反光嫩不斂此氣血兩虛漿不能乾必痒塌而死　一痘皮薄而軟色如梅花片子靨薄易落痕白血枯者此為假靨必十一二日毒氣內攻而死宜急溫補氣血如有泄瀉喘渴腹脹寒咬者不治

一兩腮乾硬按之如石者及泄瀉不止遍身潰爛声啞足冷者死

一嗆水失聲或乾嘔不止痂皮不脫不思飲食胃潰悶乱者死

一牙齦腐爛臭不可近者是胃爛也不治

一痘瘡未靨而卒然焦紫者死　一收靨辰前後有紫泡者不治

一凡有膿而結靨者則為吉症若無膿而收靨者立見傾危

收靨期總論

一痘成痂疕雖云生意已成八九然餘毒變遷猶未得為結痂而可喜眼合腹脹猶蹈危機虛浮不退尚罹為咎痂或成而反致失聲前疕恐為黑靨腫未消而眼自先開眼開疑是內攻陽氣極而狂叫喘呼腸胃傷而偃僂不寧風冷入胃則下痢膿粘熱滲膀胱則小便尿血熱毒逗留不化結痂而壯熱憎寒經絡各

遺餘毒日晡而往來潮熱發在午前為寔症煩渴腮紅申後方作是陰虛便溏食減撮唇弄舌心經熱甚更何疑扶肚捶胸肺胃毒冲知有準身熱燎人便閉須防暴急驚風悠悠潮熱便溏久変慢脾風候驗喪明於合眼蓋明辨口瘡於唇焦齦黑寔熱下注大腸必有秘結之禍虛寒客留臟內乃成泄瀉之痾喘渴須分虛寔驗症切勿差訛欲觀痂落之餘再審瘢痕之色桃紅光澤榮衛俱安黑紫乾枯尚留風熱粉白為氣血之虛週過也

應深逝走馬壯牙疳之烈月餘亦見長驅遍體赤癰乃是失於解利渾身青紫恐為風寒所吹餘毒未消還結為癮為癬見風太早尤防復發瘡痍

一痘瘡成膿之後鮮明潤澤飽滿堅實以手拭之而瘡頭微焦硬者此欲靨也然大小前後最宜漸次收靨既不失於太急又不失於太緩其已靨者痂殼周圓而無凸凹及乾淨黃潤而無淫濕破濺者此為正靨其先天之毒已洩於外先天之元仍留於中是否極泰來之象

也然俗謂幾日發熱幾日出形幾日起發幾日作膿幾日收靨此大槩言之夫痘有疎密毒有淺深人有虛寔如瘡疎而毒微人寔而能食自然易出易靨即瘡密而毒盛其人能食而中氣寔氣血和而無諸犯亦可刻期依限假如其人中氣既虛飲食既少內有所傷外有所感氣候乖变而難靨者豈可同日語哉

一夫人中爲仁督交會之衝督乃陽脉自人中而上仁乃陰脉自人中而下故以泰卦象之人中而上分爲三

部人中而下亦為三部髮際之上陽之上也兩肩之間陽之中也山根以下陽之下也自口至兩乳間陰之上也自心蔽骨至陰門陰之中也自陰門至下陰之下也自準頭至印堂與顙至鳩尾相應印堂至髮際與鳩尾至膝相應髮際以上則與膝以下相應故觀靨痣但視面上收靨之處則知身收下到之處否則不合格矣故最於人中上下左右口唇兩傍先出先靨者為吉蓋以其得陰陽相濟之理也自頭面而及手足者為順自手足

而及頭面者為遙額角先靨者謂之孤陽不生足下先靨者謂之寡陰不長皆凶兆也蓋造化之理在於陽者則陰成之生於陰者則陽成之頭自鬢際以上陽氣獨盛謂之孤陽足自膝臁以下陰氣所聚謂之寡陰凡諸瘡皆靨之後惟此二處難收者乃造化自然之理不可作倒靨論也

一痘充灌回謝宜保全矣然有回至頸項有回至胸前有回至眼眶有回至臍上有回至陽毬而死者何也蓋因元氣薄弱痘瘡毒重峻用毒藥以發之升散以劫之

盡將元氣趕上發淺始盡是以痘雖充灌不知外囊寔而裏耗竭故肺氣將絕回至頸上喉突氣窩肺之関轄而死心氣先絕故回至胸前心之關轄而死肝氣先絕故回至眼眶肝之關轄而死脾氣先絕故回至脣上脾之關轄而死腎氣先絕故回至陽毬腎之関轄而死蓋本拔則末枯源塞則流竭乃自然之理也若能預調氣血使痘毒運化於自然則元氣無傷何有秀而不寔之患哉

一痘初出磊落成个而後來長大作膿始相連灌然外雖貫通而皮下猶个个分明及至結痂腫消而膿乾現

出復成數寸究全堅厚者上也或根脚相通而皮肉盡串蓋至結痂之辰亦得乾淨無有蓬湿及破碎者次也如未成痂者潰爛已成痂者只是嫩皮此亦倒靨也然凡倒靨而

面瘡腫起尚在身雖半靨而膿腫猶存者此痘已熟乃為可治之症如痘猶生而未及膿即乃結靨目閉面平肉乾及有失音喘促煩燥等症皆決不可治也

一痘之成就猶穀之收成蓋五穀得陽氣以成熟非涼風則不能寔也天地肅殺之氣一加則萬物秀而寔矣

故非陽和則苗不秀非嚴肅則秀不實痘之膿而不焦亦猶苗之秀而不實故醫者或解以成清凉之義或下以成肅殺之令可也此其大法然亦有膿後氣血虛耗不可一例也

收靨期治法

一痘出八九日來已結乾紅痂殼如或必生不順至此方作膿窠既至行漿飽滿還須次第收成若遇身發重熱停漿不易結痂此爲陽亢陰虛引以清凉收斂漿足氣促恐因痰壅而然忽尔發驚乃或小便秘結再見氣虛而塌陷倒靨而黑焦一則溫補可與一

則攻發可活若夫泄瀉安寧是已大虛少毒肺寒則下
痢膿粘臟毒則必然便血挫喉聲啞漿行飽滿亦無妨
塌癢咬牙便寔聲清猶可治靨来痂硬变症終無疪脱
如麩須愁餘毒蒸發若致太過潰爛難行收拾身熱若
見燎人泡發潦漿可畏空遺痘殼不成痂只為漿清熱
重腹脹喘呼而塌靨皆因毒入内攻出来不貫黄漿痂
疪猶如赤血若能解毒於先此症斷之極美更有口唇
腫硬是因胃氣敗絕若逢目睛吊白總為肝熱倍常喘

急發於瀉後乃以氣虛而断便泄繼以渴煩豈為寔熱而然泄瀉而煩渴不止理必可以升提好飲而發渴愈甚勢必難以救援氣虛而陷痘瘡無恙即温經槳足難收便寔熱蒸須解利進清凉以助結痂加補益而防過適故痂落之餘漸進清凉毒已盡去宜疎補益是以升麻進於未熟之初解毒諸方用於將靨之際

一凡八九日漿若充足則可見氣壯血化而解毒成功若無他症者順也如漿不充足氣陷不榮毒成外剥者

氣血盡逆也若氣平少亮紅黃色潤漿不滿溢血附線紅者若得聲清能食根窠猶存是氣弱而險也宜用保元湯一六加姜桂以助其氣而駕其血則漿自成或加白朮茯苓以助其收斂而結痂或加芎歸熟地（以助其成漿而收靨可也）

一凡痘係虛症氣血大虛多服補劑漸有膿色而將收靨雖有熱者當於補劑中加凉藥若謂將靨去補劑而用凉藥與下藥令其速靨是令其速斃也盖虛者復虛毒反內攻而死此必然之理又已然之驗也

一痘當靨而流漿不已者或因過於發表以致癰爛或因飲水過多而水溢皮膚宜用白术茯苓白芷防風之類去滲湿水在用方一漿未稠粘頂未飽滿面腫忽退目閉忽開瘡脚散潤色白皮破而乾燥似靨非靨或如痘殼者此因氣血大虛津液枯竭不能外續其毒乘虛入内名爲倒靨此症極險也急用參芪補托如復腫起痒或可治故痘多毒盛者最要預爲解毒隨候大補氣血以助灌漿否則氣血不能周灌卽有是症矣

一痘當靨不靨泄瀉不渴寒戰咬牙者虛寒也宜用參
朮炮姜之類在用方　一痘臉上未收而耳先收者其治有
二如耳冷者則用枸杞故紙當歸川芎白芍之類如耳
熱者則用芩連歸芍及解毒之類在用方
一膿後結痂理之常也有痘瘡過期不收遍身潰爛者
此與癰爛者不同其因有六有因大便秘結內外熱極
表裏俱寔熱氣蘊鬱毒氣散漫而陽氣太盛無陰氣以
斂之而不收者治宜清涼或下之

一有因泄瀉裏虛脾胃虛弱津液損少肌肉虧虛而元氣外散表裏不固是以陰氣太盛無陽氣以斂之而不收者宜用温補

一有因渴飲冷水過多以致水漬於脾滛湿肌肉而不收者治宜蔘湿

一有因天寒失於蓋覆使瘡凍冷而血凝毒滯不收者治須温和

一有因天熱過求温煖使瘡破熱蒸而不收者治宜清凉

一有因食少氣虛而不收者宜用補脾如是以治未潰者卽痂結已潰者亦漸成痂亦爲佳兆若痂皮俱不結者卽成倒靨而危矣

一痘靨最乾淨無突陷淫湿破

錠瘡色蠟皮堅厚外明內暗尖利碍指者此爲正靨若瘥雖似乾而痂薄如紙或有內症未除此極險辰也急宜調補庶不致害一瘥無論已潰未潰於十二日之後但得結靨便爲佳兆若痂皮不結則必成倒靨其有回漿之力未盡或遍身俱靨而但有數窠不靨者終作痒破亦必難生也宜速治之

收靨期用方　一因膿後氣血虛耗是以不靨其症雖似寔熱此氣血虛甚之假熱也不可投以清涼令其速靨只宜十全大補湯百十一數劑自後而反神倦惡寒者此邪

氣退而正氣將復故遂見虛象是經所謂正氣奪則虛也仍用前藥則愈　一有當靨不靨身熱悶亂不寧卧則哽氣腹脹泄瀉咬牙寒戰手足並冷者此脾胃虛寒急用異功散百十五以救陰陽助其收靨若大便秘結手足皆熱者此脾胃寔熱宜四順清涼飲九二以扶陰抑陽更噯氣喘咳腹脹下氣手足微温者此脾虛不能收攝而腹脹下氣肺虛不能輸灌而噯氣咳嗽耳
一當靨不靨微熱脉洪大而别無他症者此陰分不足

也宜用四物湯七二倍白芍加何首烏
一凡血虛熱毒未清而不靨者宜四物湯七二加牛旁木通山查主之
一當靨不靨之辰忽見頭面温足指冷身不熱或泄瀉
腹脹氣促煩渴急用異功散百十五或九味異功煎九六遲則不救
一有因熱毒未退膚腠鬱蒸陰不能斂而不靨者若不
速解則毒必內攻為害不淺宜用犀角散百四六加白芍牛旁
一凡內外俱熱陽毒散漫以致大便秘結陰氣不行而
不結靨者宜用四順清涼飲二九或三黃丸三一以通其便

外用敗草散百二八 猪胆導法百四 一痘至靨辰毒邪已解
然要先後有次徐疾得中如收太急者只恐聚微血少
氣毒未盡煎熬津液以致速枯輕爲餘毒甚至大狂宜
微利之以撤其毒如收太遲者是中氣已虛脾胃已弱
不能收滲溢湿宜内服參苓補脾外以敗草散百二八襯之
一有食少脾胃氣虛而不收者宜用六氣煎七二或六物
煎六二加减主之 一頻見泄瀉脾胃弱膿肉虛或腹脹
煩渴而不收者宜用陳氏十二味異功散九七或木香散

百二九外用敗草散百二八敷之　一有因飲水過多或觸於濕氣以致脾胃肌肉淫濕不收屬者宜用五苓散百四五或四苓散百十加山查以利之　一有天寒不能蓋覆症受寒凝而不收者宜用五積散六九外用乳香或芸香於破肉處薰之

一有天熱過煖熱蒸而不收者宜內服人參白虎湯五三或五苓散百四五四苓散百十以利濕熱外用天水散三四以敷之

一有邪穢陰寒所觸致傷元氣而不屬者宜保元湯六一或陳氏十二味異功散九七外以辟邪丹百三四薰之豬髓膏百四七塗之

一當釁不釁之症惟脾胃中氣弱者居多盖中氣虛不能榮養肌肉使之成寔而致潰爛也但察其别無他症而形色氣血俱虛者宜用十全大補湯百十一外以敗草散百二八襯之

一凡痘瘡有膿結釁則為吉無膿結釁則為凶治之不可緩也若痘已膿成而不能結釁反致潰爛或和皮脫去者此為倒釁乃毒氣入內也急須大補中氣以托其表宜六氣煎七二倍加白芍紫草防風白芷主之若兼濕熱者亦用六氣煎合四苓散百十主之

一症不當靨而忽一齊紫黑者是謂倒靨屬危症也若
又當靨不靨而復入於裏是亦謂之倒靨尤死症也如
元氣素弱又不能食且常自利者則用陳氏木香散百二九
誠死中求活之聖藥如元無泄瀉大便久秘腹脹喘呼
者此因毒盛薄蝕元氣復入於裏也宜急下之若不急
下則腸胃不通榮衛不行益加喘滿煩悶而死若毒入
裏忽然自利痂皮膿血者此由其人素彊毒氣雖留故
自利下則毒氣因而乃出爲順候也不可止之待膿盡

毒自愈矣如剎水穀者此由脾氣微弱不能勝邪是以毒氣反驅水穀耳不治之症也

一凡痘成膿不靨以致潰爛膿汁淋漓粘著疼痛不可著席者用敗草散百二八或蕎麥散百四八以絹袋裝之更加布於席上襯卧尤佳或用秘傳茶葉方百四九亦佳

一痘抓破去皮而猶有血水者急用六氣煎二七主之外以白竜散百二七敷之

一痘靨後而有生瘡潰爛成坑者宜用托裏消毒散一七或解毒內托散一百五如氣血虛而不斂者宜用十全大補湯一百十外用生肌散百四十敷之凡遍身瘡多潰爛深而無氣血者死

一痘瘡潰爛不靨而臭不可聞者名為爛痘間亦有可保無事者只要胃氣不衰飲食如故不作煩燥則為可治宜用八珍湯百二六或四味消毒飲一百一外用敗草散百二八敷之

一痘如爛肉濁惡不可近者此雖似結痂未可為真急須清熱滋血用涼血養營湯百十九或解

毒防風湯百五二　一凡痘瘡一向溫煖至巳辰忽大熱者此俗名乾漿亦是常候只怕內傷飲食外感風寒以致耳然病久氣虛不可輕用汗下如外感者宜用參蘇飲百五四如內傷者宜用木香大安丸百四三助胃化食推揚穀氣而已

一痘毒盛內熱面爛者宜用解毒湯百五二加當歸蟬蛻外用救苦絶痂散百五十敷之

一凡痘潰爛先傷於面者亦兆也如飲食無阻二便如常更無他症內宜用十全大補湯百十一外用救苦絶痂散百五十敷之其爛處復結痒而生嫩皮矣

一欲面上一不成瘢者用絕瘢散百六八調蜜水敷之或用救苦絕瘢散百五十亦可　一瘡於未灌之先或曾傷犯破爛成瘡及諸瘡收靨此獨一不靨膿汁不乾更作痛楚若不急治漸成癖蝕轉傷筋骨以致橫夭宜用十全大補湯百十一加金銀連喬外敷救苦絕瘢散百五十調蜜水敷之或白龍散百二七治之然亦有因氣血虛弱熱毒未盡外被風寒所搏以致腠理固鬱津液澁滯而成者治宜觀其顏色及患在何處若在肢節及陰處其色青紫而黑潰爛延

開血出難治若在陽分不痛不爛色鮮紅潤者以綿薑散百三五治之　一靨時色白如梅花片者此為假回十二日後當死不治之症也如不泄瀉可速用六氣煎七二六物煎六三合二保散百三一大進救之　一漿勢雖已充滿忽然下利瀉血者是毒歸大腸大腸為肺表必危在十五朝若將收靨辰忽作驚怵者是毒滯於心而磨耗真元必危在十四朝如方收靨辰忽然聲啞者是毒滯於肺必危在十三朝如方收靨辰忽發疔腫硬塊紫黑者必危在十六

朝如當靨不靨泄瀉不渴寒戰咬牙者是靨虛寒也急進異功散(百十五)救之然諸危症亦有似是而寔(非者宜兼諸候而並參之)

一症內熱毒邪未盡化而乾靨太疾者後必為目疾或為癰毒及諸惡症急宜凉血養營湯(百十九)少清其火若大便過於乾枯者宜微利之以解其毒(宜用)當歸丸(百五二)以主之

收靨期當用諸藥品

一氣虛不靨症宜用參芪歸芍蒸地苓朮丁香附子炙草肉桂白芷陳皮萆薢山藥首烏米仁木香肉菓炮姜蓮肉陳米龍眼木通之類隨候採

用凡灌膿後宜參多芪少此重中輕表也且芪性升托若欲回而反托則毒反內攻矣

一血熱倒靨症宜用大棗甲片芩連生地當歸赤芍紅花燒人糞連喬牛蒡玄參桔梗甘草角刺紫草粘米鹿茸桑蟲人牙龍腦豬尾血狗蠅之類隨候採用

一凡自見點以至灌膿俱欲氣血與毒升浮長養故藥宜芎歸參芪茸桂之屬自漿足以落痂俱欲氣血收斂成就故藥宜米仁連喬茯苓首烏白芍木通之類既利膿漿下行復助其秋收冬藏之令也至倒靨者雖當靨

期而毒未得漿化即欲靨而內攻也故為倒靨其治猶當類掭初起攻托血熱之藥矣

痂落期順症 勿治

一痘瘡收後痂厚落遲離肉不粘者吉

一痘落後瘢色紅潤而無凸凹飲食二便如常者吉

一自食痘痂者雖有他症不死

痂落期險症 當治

一靨後而瘢紅紫者是血熱毒盛也當用凉血解毒為主

一痘已痂而唇不蓋齒者急為解毒凉血否則必生走馬牙疳而死或因氣血枯槁不能潤養仁晢二脉縮急者當從補養

痂落期逆症不治

一痂落之後泄瀉不止目中無神而面色青者死

一痂後忽大喘面頰枯燥唇白者死

一瘡疵色如雪白者是氣血盡也如不大補其氣血必死不救

一痂後眼開紅色者大凶經斷

一痂後發驚者是心氣已絶神無所依不治

一凡嚥物作噎喉中如鋸腹脹虛鳴痰喘頭汗者死

一凡一病未已一病復生五行勝復相乘者死

一痂後手足顫掉咬牙噤口目閉腹脹足冷過膝者死

一原痘乾燥膿少不灌雖結靨痂後而葩白者或有餘

熱未退雖過一月亦要死　一痂後傷風傷食而瘦脫者不治盖脾主肌肉是土崩脾敗也

痂落期總論

一收靨之後痂亦先後漸脫其色鮮明光潤既無赤黑又無凸凹容顏依舊者大順也若五官欠缺四肢傷殘毛髮盡脫形容大改者此險中得生者也

一凡頭面渾身黑暗者未可便謂無事猶恐日前未甚作膿而倒靨歸腎也宜細別之如身壯熱少食大渴煩悶昏睡便利或秘者此真倒靨歸腎也不可玩忽若身體温煖爽快二便飲食調匀者此乃瘡痂本色無慮也

一痂皮初落肌肉嬌嫩不宜澡洗增減衣服蓋表氣已虛六淫易襲且瘡毒久困裏氣必虛腸胃必弱不宜飲冷及傷饑飽痘中做病日後難療與其疾苦一生莫若謹慎百日

痂落期治法 一凡十三十四日氣血歸本毒既殄滅漿老結痂者順也如痘不脫屬諸邪並作者逆也若毒雖盡解而結痂之際或有雜症相仍者險也治宜從保元溫補之法隨症加減不可輕用大寒蕩滌之劑以致內傷也若有餘毒即當解毒清凉無餘毒者便當畧加補

蓋卽有餘毒者然在病久之後氣血兩虛不可過治也一痕白者是氣虛而血衰也宜固元氣爲本若白而作痒兼渴者是氣血俱虛也尤宜大補氣血若發熱而大便調和是脾胃虛熱也若發熱而大便秘結者是腸胃寔熱也若食少四肢倦怠者是中氣虛也然治之而卽愈兼之痘痕漸轉紅活者吉如色不轉者雖經年亦変瀉痢而死然補氣血久不效者莫若補氣血之根氣之根腎中之真陽也血之根腎中之真陰也於此根上補

起未有不發生氣血者也　一痂久不脫者是肺主皮毛脾主肌肉二經血虛作熱宜内用補血凉榮之劑外用麻油和蜜釜抹痂得油潤自脫也不可強爲剔去致傷皮膚成瘡潰爛或变症癩

一如痂白色者是血氣虛也急用大補氣血

一如收靨既迟痂亦難落其人昏睡無他苦楚此因邪氣雖退正氣尚衰脾胃虛弱也宜用保元安神緩緩調理使氣血平復則自清爽而無慮也

一有手足腕膝之處瘡窠連串作一大塊其膿汁化作水停畜於中恰如囊袋皮不破水不去日久只如是者此乃裏面膸肉已好只是瘡皮剥於外而作也宜針之决去其水自乾脫矣

痂落期用方

一瘡結痂自當依期脫落其有應落不落及延綿日久者此亦不可不察而治之以防他变如至半月一月粘肉不落或發痒者此必表散太過傷於津液以致湊理虛澁無力脱卸故也宜用人参固肌湯百十三或真酥油麻油潤之以落而已

一凡痂久不脫者以百花膏百四二潤之令其速脫遲則深入肌肉而成瘢葩　一痘瘢𤺥癢剥去痂皮或血出或復成膿爲此瘡者血熱氣虛也宜用四君子湯九十或四物湯加紅花紫草牛旁以清其熱

一原痘不灌膿乾如痘殼雖痂落而葩白或有餘熱不退雖過一月亦死宜急用八珍百二六十全百十一之類調補之若或毒猶盛者仍須先用消毒飲二百十六以主之

一痘痕赤而作痒者是血虛而有熱也宜用丹皮骨皮

之類若赤而作痛者宜用犀粘子連翹之類以清熱氣

一面痕黑污者須用滅瘢散百五十臨睡蜜水調塗至曉以水滌去自然瑩白光潤更宜保護不宜早見風日

一痘突起作痒不止者此熱毒未盡也宜用解毒防風湯百五二以主之

一痘瘢如陷下成凹者此脾胃虛不能長養肌肉宜用人參白术散百九六加黃芪主之

一痘痂既脫復有瘢痕突起重作膿窠依舊結一層痂子者是必收靨太驟毒氣未盡或因誤服溫補之藥食

甘肥之物飲酒食辛不忌煎煿或因見風太早榮衛鬱而不通皆能復成此症然此毒邪外散決無大害只恐臟肉空虛久爲瘡癩也復有痂雖脱去或於面上或於手足成片結硬其瘡頭雖焦中畜膿漿者此是痘子原出之初其處太密糢糊成片無分窠粒所以毒壅於裏不能大泄故釀獨遲今氣血少復化毒成漿耳宜用滅瘢散百五十蜜和塗之待膿痂起自愈

一凡遍身結痂雖完若餘熱未退蘊畜臟表或身熱煩

湯而不落者宜用涼血養營煎百十九或解毒防風湯百五二■酌用之
一凡熱甚者宜用大連翹飲二五加地骨皮主之外用活
石為末以蜂蜜調勻鵝翎掃潤痂上即痂落而熱自退
一凡收靨遲而痂不落昏昏欲睡者此邪氣已退正氣
未復脾胃虛弱也宜五福飲九五或調元湯六一緩緩調治
之若餘火猶未清者宜用酸棗仁湯百七十
一凡收靨痂落之後若餘熱不退譫語昏沉者宜用神
砂六一散百二三以小柴胡湯百七二調服之若大便秘脹者宜

當歸凡(百五二)利之如熱甚者宜用大連翹飲(二五)甚妙

一痘痂既落中氣暴虛多有不能食者宜用五味異功散(九一)或養中煎(九二)以調之

痂落期當用諸藥品

一正虛症宜用人參熟地當歸白芍黃芪茯苓條草桂附棗仁茯神麥冬五味桔梗遠志白朮米仁山藥陳米大棗圓眼蓮肉陳皮訶子木香肉菓炮姜之類隨候採用

一邪實症宜用芩連歸芍甘草連翹生地玄參土貝母金銀花粘子丹皮桔梗梔子

龍胆草地丁草花粉燈心乳香沒藥角刺血竭姜蚕白芷牛黄珍珠之類隨候揀用

风白收靨至落痂俱欲翊正蕩邪使荣衛調和氣血長養收歛成就故藥宜用如人蔘地山藥黄芪之類以助病後虚弱之機如連喬白芍當歸木通之類以清餘毒伏熱之蘊結故畧詳之學者須較量焉隨宜變通不可執一也

心得活法

慎 按痘瘡一症自古别有專門先哲慈濟苦心設法立方縷析條分無餘藴矣夫风痘之爲病惟有

氣虛血熱毒盛三者而已氣血者正氣也毒盛者邪氣也以氣血藥而治痘者王道也以毒藥而治痘者伯道也王者以德服人伯者以力服人書曰治痘惟藉氣血之力以始終其功然氣血之力更藉元氣爲之主宰胃氣元陽之子也故得能食便調雖有百般危險猶可斡旋胃氣一敗百藥難施是以補益元氣調理氣血爲治痘萬全之策也余自家心得有一套治法尾之以備一覽

發熱治法

其法宜用疎表爲主使肉分疎通則易出而

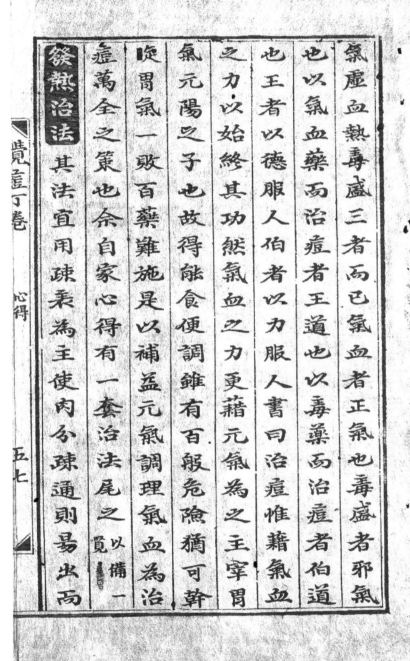

稀朗匀淨盖表散則外邪内毒皆作癍汗而出重者可
輕若無汗而外熱欝與熱太甚者其毒必甚急宜疎散
之以防毒壅若感風寒腠理塞閉者宜荆芥葛根姜以
疎之或遇寒冷一幾未應再之無妨若熱甚便秘者可
微下之若熱微者惟宜解毒而已若有汗而外熱微切
不可發表衛氣一虛痘難成就然表散之法要得適中
中病則已若徒以疎散為事外虛則内耗初者而無力
耗送繼者而不成膿漿故法以微汗為貴耳又如初熱

與將出之際雖有熱症切不可妄用寒凉以觧毒痘既不能希而毒反氷伏縱有真血熱症候初發亦不宜即用寒凉惟宜清凉之品兼以升提發散待出齊後方可以凉血清熱之劑治之則痘易長而毒無阻矣然痘本陽毒不熱則不能接出矣若外熱而內不渴精神清爽二便飲食如常此蓋痘之熱元氣盛熱為痘用當聽其自然切不可妄治書云痘未之前宜壯熱以逐其毒大抵無寔火切不宜寒藥以敗脾無虛寒切不宜温補以助毒工巧丕外孚去邪扶正而已

見點治法　其法宜用托裏解表為主使其易出書曰宜開和解之門又曰見點之後宜為清解如見乾紅紫色急宜疎利之不然必成黑陷如大便秘者可微下之不宜妄用陽藥致毒壅而為害如見寔熱壅遏之症以水制火固宜矣然不可峻用苦寒惟宜清涼升提發散清涼則解熱而痘得圓形升提則無壅而毒有出路若過寒涼則脾敗肉氷過發散則表虛潰内如痘勢輕少者則不宜過表在後必成瘫爛若徒以疎表為事輿輕用穿

山牛虱以毒攻毒則衛氣不能主持亡其一攤而出垂重蟢巢水泡漿清雖釀雖膿勢所必至縱有危症如天靈蓋腦射之類亦絶不可用毒出一分則內耗一分矣又若真見氣虛而不能出者當微補其氣氣和則出快矣但初禁用表腠理密則毒難出若痘已起發後氣虛則補氣血虛則補血若氣血兩虛惟偏補氣蓋氣虛則補瀉血藥皆潤恐陰之功未建亡陽之禍速來若陰血大虛於氣者又不宜偏補其氣恐燥藥耗陰益其枯矣若

氣虛見白陷不榮者與痘點淡紅者不得已而用紅花紫草生地歸芍者俱宜酒炒佐其達表抑其洞下此涼血之中不失升發之妙若全然血熱者惟宜涼血若氣虛兼血熱者只宜凉血兼升托待膿变微黄此毒尽方解候也得補氣大凡已出之後内必空虛蓋搬運皆氣血之力也速宜培補化源書云見點之後即宜補養氣血以助運行推出之勢且預爲地步以爲釀膿之具倘不能乘辰急補毒必乘虛復入則内攻之禍旋踵矣

起脹治法　其法宜解毒清凉為主使痘易長蓋清凉則無血熱枯腸之害解毒則無黑陷倒靨之危然痘出至足為齊始得清解苟未盡出遽用清凉則毒得寒而反滯故毒解之中又宜發表法曰解毒之中加温補温補之中畧加解毒為兩得矣若徒以寒凉解毒為事既已阻毒出路又難化毒行漿至如犀角地黄之清凉亦不可輕用又如妄用迅攻者亦猶無米炊飯若兼見氣虛症現則清凉解毒又當禁絶清凉則瀉泄泄瀉則毒伏矣書

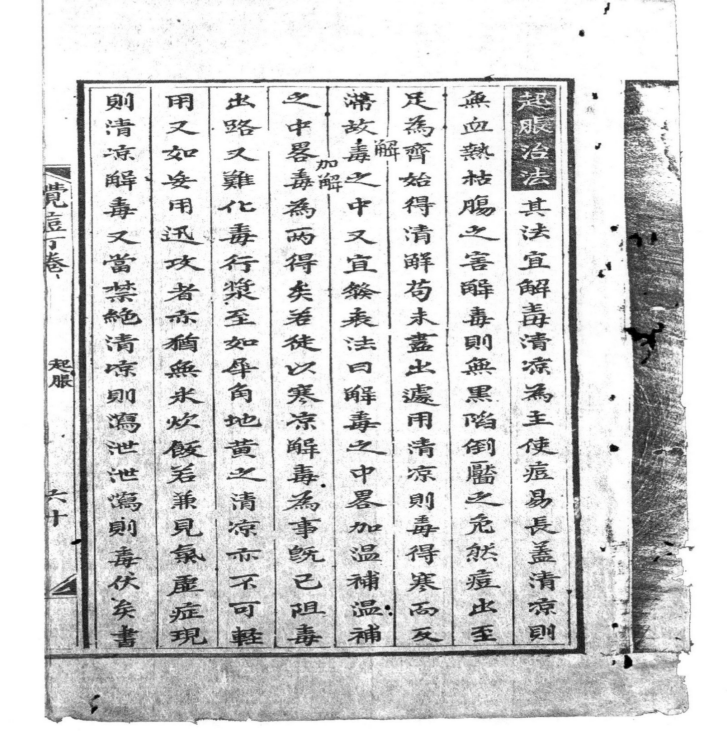

云既出之後當塞走泄之路惟寔表也則易起易両無倒陷痒塌之虞故法曰用黄芪當在痘盡出之後大要起壯之期芪宜用多参宜用少以補表重而補中輕也又必佐以川芎防風引之上行蓋痘以頭面為主也

灌膿治法 其法宜以温補氣血為主氣血流行則成漿自易倘氣弱血枯則不能成漿矣書云六日已後毒已盡出於表中氣必虛若不加温補則膿漿不行痒塌寒戰勢所必至亦有精血雖旺而不行漿者此腠理密而

氣血滯也宜内服宣揚氣血之藥外用水揚湯浴法則流通自易如見漿足之後猶用參芪反致喘急腹脹之患大凡膿期用温補之法固宜矣若痘症原於血熱地脚至此雖得稍清苟大用參芪又恐依然血熱之勢復起况毒未盡解得補則蘊蓄不能化漿惟於催漿劑中畧加清涼解毒之品則血熱自清膿漿自足彼此俱得而無碍矣然中病則已太涼則毒反滯此是純血症若氣虛兼血熱必待至微黃方可用參芪以補氣不然反為助漿而為害不淺矣

收靨治法 其法宜以收斂爲主和氣血補脾利水[illegible]然結靨此辰用參宜多芪宜少以補中重補表輕也若發未滿足則於大補氣血劑中宜寒兼解陰毒否則必有瘥毒疤痕之患與結痂之後倘有餘不盡之毒亦宜解散之以防瘥毒

痂落治法 其法宜清涼漸進爲主蓋萬物收成皆賴肅殺閉藏之氣書云痂落之後漸進清涼毒去已盡宜疎補益此之謂也以上依期治法此皆愚得心應手之經事也然觸類旁通法外之法盡在不言中亦在維言表要在乎神而方能盡之矣

夢中覺痘下卷 終

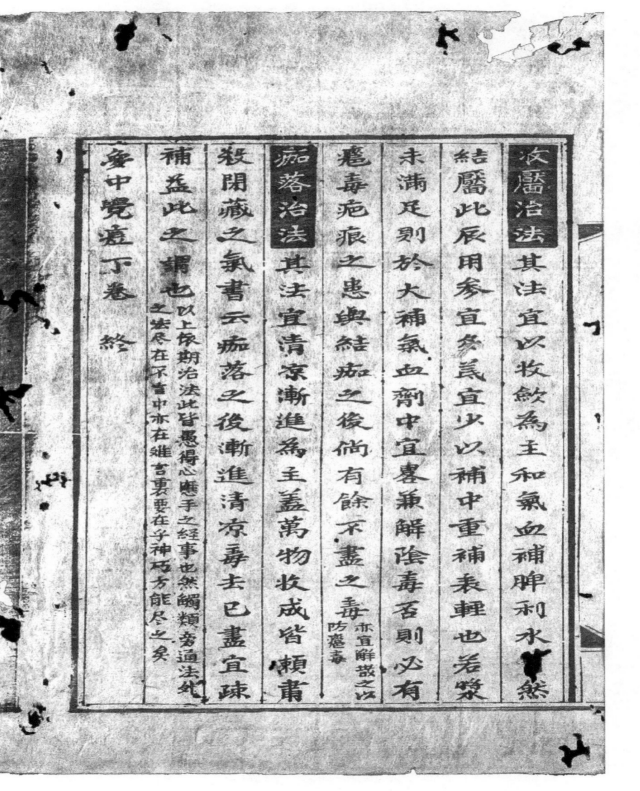

R. 1153

新鐫海上醫宗心領全帙、夢中覺痘、戊卷之三十八

海上懶翁黎氏纂輯

後學唐鄗武春軒奉較

目次

腰痛　咽喉兩口齒舌

失音　喘急　咳嗽

目次終

論不能食 十七條

一凡痘瘡能食者不問稠密希疎皆吉如不能食者雖希亦危然在初而不能食者但表其痘痘出則自能食也或有欲食而不能食者必喉舌有痘作痛難於吞嚥也宜以爛粥濃飲頻頻與之以助脾胃之氣更以甘桔牛旁解利之又更有虛實寒熱之別焉

如其人怯弱精神怠慢自利不食者虛也如身熱中滿不食者實也如因誤傷生冷二便清利腹脹腸鳴不食者寒也如皮厚周密毒氣難於發越煩燥不食者熱也如初出胸前稠密減食者此毒盛脾弱也大便酸臭畏食或吐者此有宿食也因痘者治其痘因雜症者去其雜症則氣和自能食也如逆症並見忽然倍食者又宜防其邪火殺穀未可便指為吉也

一痘瘡之出也雖賴元氣以發之元氣之壯也必資乳

食以養之自初起以至痂落飲食不減二便如常雖不起發不紅綻用藥得宜自可無虞若乳食減少又兼泄瀉則元氣自此而日衰雖無前症日後必至漸漸成危矣四五日前不食者此毒盛於裏猶爲可治至五六日後而不能食者則必雜症叢生行漿不寔雖藥亦何益哉若痘起而倍食發熱煩燥精神不長者是胃中宿熱消穀也大便秘者宜四順飲九二之類解之恐胃熱不去則爲口瘡他變若脾胃素壯痘毒盡出裏無蘊熱是[illegible]

腹中寬快食倍痘美二便如常則不可輕行解利

一夫人以水穀為本絕則死書曰水入於經其血乃成穀入於胃脉道乃行水穀之悍氣為衛精氣為榮水去則榮散穀消則衛亡故痘以能食為最吉然亦有能食而死不能食而生者何也蓋不能飲食者此必臟腑內塞大便不行有宿穀氣為養而至瘡成之後自能消穀思食矣其能飲食者是邪熱殺穀將不久而變生矣

一痘於膿辰專以脾胃為主蓋脾胃強則氣血充塞自

然膿漿飽滿不須服藥然脾胃之強弱則食之多少得之便之堅濡驗之食少而大便堅者是脾胃之氣猶足也食少而大便泄瀉者是脾胃之氣益虛也若大便堅秘多日而有狂躁之機者宜用猪胆百四導之使氣道疎通榮衛和暢庶不生他變爲癰爛也

一黍不能食落痂後倍食者是因津液暴亡邪火殺穀其人必便難口渴煩燥不寧治宜利之否則胃熱不去胃爲口臭齒爛或流散四肢爲癰疽腫毒矣惟脾胃素

杖能食者縱有便難之候不可槩論即倍食而安靖無他苦慎勿輕爲利下　一凡痘正出之辰雖不飲食但得痘色眞正不爲害也蓋熱毒未解於將出未出之際多有不欲食者待毒氣盡出自能食矣若已出盡而仍然不食者當徐用四物湯二七加神曲砂仁陳皮一二劑必能食矣

一凡痘見灰白别無大熱停滯等症而食少或不食者必脾胃虛也宜五味異功散九一或四君子湯九十

一凡胃中陽氣不足不能運化而食少者此虛而且寒

也宜溫胃飲七八　或養中煎九二　或六氣煎七二

一凡命門元陽不足則中焦胃氣不煖故多痞滿不食

下焦腎氣不化故多二陰不調此宜理陰煎百七九　加減治

之勿謂小兒無陰虛症也　一凡不食而見泄瀉惡心

嘔吐此屬胃氣虛寒也輕則理中湯五九　六氣煎七二　甚則

陳氏十二味異功散九七　或六氣煎七二　合二仙散百三一

一凡脾氣不虛但胃口寒滯或痛或嘔而不食者宜[illegible]

黃散百一　一凡停食多食而不食者宜大和中飲百十

消痞食或五味異功散九一加山查麥芽神曲砂仁或合匀氣散七三　一程氏云水穀不能運化而飲食不進者只用保元湯六一加陳皮麥芽神曲砂仁扁豆生姜嘔者加藿香　一凡口瘡不能進食或咽喉疼痛而不能食者但清其咽痛止自能食矣宜甘桔湯百五五或加味甘桔湯二百七六　一凡外感風寒邪入胃口則不能食須表散寒邪邪散自能食宜加減參蘇飲五五或柴陳煎二百三八或五味異功散九一加柴胡　一痂落因中氣暴虛而不

能食者宜人參白朮散(百九六)調養之

一瘧後正氣將復則飲食宜進若素不能食近因喜食太過而不能食者或原能食近因驟加以致惡食不食者此皆內傷有餘症也並宜木香大安凡(百四三)主之如向來食今猶不喜食者此脾胃中氣不足宜人參白朮散(百九六)主之

噯氣惡心

一噯氣者多因胃虛窒塞氣不升降過極則展舒而濁氣上出於胃也有因食物停胃而爽酸臭者治宜消食推揚穀氣有因胃中滯氣不舒而無酸臭者

治宜行氣調胃和中有因痘毒未出火邪在內薰動所致者治宜發痘有因痘既出之後而熱毒猶鬱於中發發不得而然者此宜清胃若夫惡心乾嘔其候雖近其害寔深蓋衝任虛火上冲犯於清道乃臟敗毒攻之惡候

失氣腸鳴　按足太陰脾經主失氣足陽明胃經主腹脹賁響失氣者脾敗而穀氣下脫也腸鳴者胃敗而中氣下陷也是以患痘之人不宜有此與泄瀉皆係死症故曰腸鳴失氣者是減腸胃養生之氣也大宜補中佐以升提

發渴

十四條

一　水潤下火炎上自然之理也三焦者水穀之道路津液者乃氣之精化流通三焦以制火也今口乾而渴者乃氣虛火盛津液枯竭也經曰肝熱則口酸心熱則口苦脾熱則口甘肺熱則口辛腎熱則口鹹或口淡者胃熱也若渴者乃五臟之熱而火之使然然火爲用非虛不發發而不解則津液不能上行以制火火乃炎上燻灼心脾是以津液爲之下陷莖池爲之乾涸因而爲渴渴者臟腑精莖枯燥其治惟宜除熱潤燥氣

乃則津液自生熱除則煩渴自已

凡痘疹發渴者裏熱也以火起於内消爍真陰所以發渴又其津液外泄化為膿漿則榮氣虛耗所以致渴此痘之常候也若微渴不甚不必治之惟大渴者乃由火盛然亦須察其虛實以為調理切不可因其作渴即以西瓜梨柿之類輕而與之恐脾肺受寒致生他變也

（外有乾渴論在泄瀉條參看）

一程氏曰痘初發之源乃壬癸水也水既流行其源必竭矣不作渴由此觀之可見

（治渴者不可不滋腎水）

一痘疹渴者常有之症也但有應不應之候在二三朝間身熱口渴者此是毒鬱於裏熱邪燎灼治宜透托在四朝以後身熱口渴者此是津液外洩化為膿漿治宜參芪此皆應候也惟在結痂之後則邪毒盡化裏無留邪如反大渴則是真氣漸耗火毒益張此不應之候也急宜解毒滋陰生津利咽若漸減者吉不減者必變喘脹而危矣

一渴多屬於熱然皆由臟腑津液燥枯寔非有餘也至若腹脹而渴者或瀉而渴者或手足冷而渴者或驚悸

而渴者或身温而渴者或身熱而面光皖白色渴者或寒戰而渴不止者或氣急咬牙而渴者或飲水而轉渴不已者以上九症无非寔熱宜急温補救裏滋養津液以杜喘渴痒塌死機若認以為熱症治之必危矣

一凡痘瘡作渴者不可飲水否則津液不行燥渴愈甚且瘡靨後其痂遲落或身生癰腫矣蓋脾胃屬土而惡濕喜温而惡寒外主肌肉若飲冷水則脾胃肉虛肌肉外滯津液凝結榮衛不周是以瘡痂遲落或生癰腫矣

然飲有陰陽陽盛陰虛者則氷雪不知寒陰盛陽虛者
則沸湯不知熱故發熱作渴手足逆冷大便自利喜飲
熱湯者是陰盛陽虛也治宜補陽若發熱作渴手足並
熱大便秘結喜飲冷水者是陽盛陰虛也治宜補陰若
煩熱口渴面赤睛白是腎經虛弱也治宜滋腎若正屬
之辰忽不能饜頭温足冷腹脹泄瀉氣促煩渴者此虛
寒之甚也急進參朮桂附之類切忌寒凉之藥及諸蜜
水瓜菓否則津液收斂轉生焦渴冷氣内攻逼陽於上

愈加腹脹喘渴泄瀉而死　一痘前渴者宜疎解清熱痘出而内熱自除宜柴苓湯二百四十加葛根荊芥若痘後渴者則補養氣血用保元湯六一加麥門五味之類如瀉而渴者則用參苓白术散百九十六若陰虛火動而渴者最爲難療矣夫陰虛者血虛也血虛不能驟補蓋血與氣夫有不同氣無形之物血有形之物無形者有神卒能旺於斯須有形者無神須當養於平素故治宜六味地黄湯二百三十加肉桂五味既補腎陰且使釜下有火則鍋蓋自然

不燥誠為虛渴之聖藥也　一能食而渴者肺熱也經
曰心移熱於肺傳為膈消是由心火上炎乘於肺金故
熏蒸焦膈傳耗津液也其治在上焦宜人參白虎湯五三
加黃連主之如不能食而渴是脾虛也蓋由脾元既弱
不能為胃行其津液其治在中焦須防發瀉宜參苓白
朮散百九六主之如自利而渴者是邪傳腎也蓋自利而渴
屬足少陰虛故引水自救夫腎主五液其脉絡於肺系
於舌本若邪傳於腎則開闔不司故乃自利利則津液

下走腎水乾涸不能上潤於舌故大渴也其治在下焉宜異功散(百十五)以溫之　一凡痘氣血內耗微熱微渴而喜湯者宜七味白朮散(四十)或五福飲(九五)加麥門五味

一凡脾肺受熱渴而喜冷者宜人參麥冬散(二百三)或生脈飲(二百五六)主之　一凡痘多熱多燥口躁咽乾大渴引飲喜冷能食或大便乾結者此熱在肺胃二經宜人參白虎湯(五三)甚者加黃連若痘後熱渴此餘火未清其治亦然

一凡痘自利不止腎陰虧損而作渴者病在少陰速宜

陳氏十二味異功散九七或九味異功散九六

一凡大便秘結腹滿煩熱內火不清而作渴者宜四順清凉飲二九主之

一凡痘發熱辰便見大渴唇焦舌燥此心火太炎腎水不升故血液枯耗也宜葛根解毒湯二百十七主之

一薛氏曰渴欲飲水當察其熱之虛寔若屬虛熱者則雖欲水而不多飲宜用七味白朮散四十若係寔熱豪本喜飲者當以犀角磨水服其後亦無餘毒之患

大便秘結八條

夫痘瘡發熱大便宜潤若二三日不行宜急

利之恐腸胃不過藥術不行瘡出轉容也惟自起發之後大便宜堅宜寔盖小兒臟腑嬌嫩大便不行則易寔大便自利則易虚故起脹成漿之際雖數日不便亦無憂耳更無內症者不可妄加下劑以耗泄其氣血也痘在四五日而不大便者乃氣血成漿若無腹脹滿悶勿以便結為治盖灌膿之辰元氣皆為外用若得数日不便尤助中氣運用之机倘有泄瀉即用參朮苓芪姜桂炙草之類佐以升提之藥使中氣不餒痘毒達表若獨以泄瀉為治則痘必倒塌矣世因以便秘為貴甚有熱壅之症不特不敢下利反加補托温煖之藥以禁錮之致使熱壅愈

如痘毒不得伸越正氣不得舒暢熱毒壅極走注下焦忽爾大瀉元氣驟脫遂不能救是皆熱壅失治之過也宜微下之以泄其壅熱但審其秘結之因以治之不必重在硝黄以傷元氣也然古方下劑之中而必佐以風藥者是兼升發之義也至於不能食者尤賴舊穀氣爲養待至成膿毒化之後則解利之如能食者則又大便喜潤此賴新穀氣爲養故欲舊污不留則臟腑流利氣血和平切不可因其便利而用溫補反增壅熱之症如即

飮食而其便二三日不通裏無所苦者亦不必攻之不
得已或用胆導蜜導之法使氣道升降而無壅塞之患
也惟在臨辰而四五日不行以致熱甚生濕其瘡難醫
况三焦阻絶熱毒内畜必多變症則宜利之如燥糞在
直腸而不能下者以胆汁導之然胃主腐熟水穀大腸
主傳送已化之物故飮食少可以知人穀氣之盈虛大
便滑澁可以知人臟腑之虛實是以大便如常最為痘
中之一順候也至如痘後而表裏無恙者自利黃黑此

毒隨利下不必施治但用化毒湯二百十五與之

一凡痘瘡小便欲其清而長大便欲其潤而實則邪氣不伏而正氣不病若小便利者大便必實雖二三日不更衣者亦無碍也但初熱時大便不宜太實若二三日不行宜微潤之以疎通不然轉密惟起發之後大便却宜堅實若太實而四五日不行恐熱盛難饜宜微利之

一凡發熱辰大便秘結而内外俱熱有不得不通以疎其熱者輕則柴胡飲二百二七甚則三黃丸三一再甚承氣湯百三

一凡自起發後以至收靨而大便不行火不盛者或虛弱不可通利者只宜猪胆導法百四 或以醬瓜一條如指導之卽出切不可用利藥

一凡大小便俱不通而內熱甚者宜八正散二百二八 或通關散三二

一凡熱毒內盛而瘡乾黑倒陷煩燥便結者宜百祥丸十二 或承氣湯百三 然當慎用無輕易也

一陳氏曰痘四五日不大便用嫩猪脂一塊以白水煮熟切如痘粒與食之令藏腑滋潤亦使瘡痂易落切不

可妄投宣泄之藥以致元氣內虛多傷兒也

一譚氏曰前症若因熱毒內蘊宜用射干鼠粘子湯一四解之或發熱作渴或口舌生瘡咽喉作痛並用之

小便秘澁 二條

一諸病以小水少則病益進小便秘則病益甚由火盛故也至於瘟瘡正當君火用事是以心移熱於小腸小腸移熱於膀胱膀胱雖為津液之府必由肺氣之輸化而出若氣為火食則失降下之令故小便秘結則熱毒無以走洩發驚發搐勢所必至治又不可[illegible]

用凉藥當利小便以導去之小熱不去則大熱必生也若痘稠密而小便赤少者此因津液耗損下焦少血也不可妄利反損真陰徒增為喘為渴之端更有積痰在肺肺為上焦膀胱為下焦因上焦閉而下焦乃塞也治宜清肺猶滴水之物上竅通而下竅乃出也故古方利水劑中加以荊芥或用吐法並此意也更有氣結於下而小便不通者治宜升之蓋氣升行則水自降下然汗下利三者古人並重用之一妄皆可損人也

思按小水必未必火盛之故肺主關節腎主五液五苓之用肉桂非諄諄於氣化乎。一凡痘瘡小水不利而熱微者宜導赤散三三熱甚而小水不利者宜八正散二百二八

泄瀉 二十八條

一痘首尾皆忌泄瀉而後爲尤甚惟初熱症有隨瀉而旋止者爲吉若自見點之後以至收靨毒氣俱已在表但要元氣內充大便堅實庶能托載收成苟暑泄瀉則中氣虛弱變患百出矣若初出之後而見泄瀉則必難起難灌既起之後而見泄瀉一瀉則漿停瀉止則漿滿既灌之後而見泄瀉則倒陷倒靨內潰內敗等症無所不至此實性命所關最可畏也今多見妄藥誤治敗人脾氣以致不殺者猶云欲去其毒瀉之無害欺耶昧耶痛莫甚焉

一萬氏曰痘未出而利者邪併於內裏寔也宜發清裏痘已出而利者邪達於表裏虛也宜治其虛凡痘所忌惟內虛泄瀉若溫之固之而不愈者此不治之症也

一經曰陽氣在下則生飧泄蓋積熱之氣不能上升即下注而為飧泄故治瀉劑中多加升藥者恐其氣下陷也又曰濕勝則瀉總病初而瀉者為熱病久而發者為寒水液澄澈清冷而色白者皆屬於寒青黃赤黑而燥澁者皆屬於熱瀉利完穀不化身凉不渴脉遲而微小

便清而不瀉虛寒也宜用參朮炮姜炙草之類小便赤瀉食穀消化身熱發渴而脉洪數者是熱瀉宜用木通豬苓赤茯苓之類在初出以及收靨之辰暫瀉無妨惟起脹灌膿而瀉者最宜急治但求其瀉之因以治之不必治瀉之爲病也若每日止一二次者亦不可輕用止瀉以致毒氣不得走泄則反留餘毒變生他症惟宜調固中氣聽其自然蓋百病強行止遏皆非良法猶之以力制人何如以德服人之爲勝

一如脾胃怯弱精神倦怠而不食者爲虛當温養之如身熱中滿渴而不食者爲實當清利之如飲冷水而自利者此所謂濕勝則濡瀉也宜用温中利水如因傷食自利而所出酸臭者此所謂飲食自倍腸胃乃傷也宜用先消後補若至臟氣自脫或因服寒凉致令瘡毒內陷瀉如豆汁或膿血口出臭氣唇焦目閉而兼腹脹者必死之症及起脹灌膿之辰泄瀉不止以藥止之不已者死書曰六腑氣絶於外者手足寒五臟氣絶於內者

利不止正氣脱者必淹延而死邪氣内陷必煩燥而死
一瘡未出而利者是邪氣併於裏腸胃熱甚而傳化失
常也宜從熱毒治之如瘡已出而利者是邪氣併於表
正氣方逐邪氣故主乎表而不主裏裏氣空虚不能運
納水穀故亦自利宜從氣虚而治如瀉利不渴者是臟
寒下利也宜從温補治之更有方患痘瘡身有大熱因
食冷物或冷藥過服是以泄瀉腹脹其已出瘡疹乃塌
白而無血色者此由裏寒而脾胃伏冷是以柴胡不能

發令毒氣內伏不出耳宜急溫脾透托則氣行血活而痂白轉紅泄瀉俱愈矣凡治痘瘡泄瀉只在辯其寒熱熱者必濕滯之有餘寒者必元陽之不足但寸瀉九虛而寔熱者極少故凡見泄瀉嘔吐腹痛而别無寔熱等症無論痘前後俱宜急溫救脾胃此大要也當詳察之若失其真誤治則死

一凡畜熱泄瀉本不多見而間亦有之然必有熱症可據方可用清利之藥如脉見洪數身有大熱口有大渴喜冷惡熱煩燥多汗或中滿氣粗或痘色掀腫紅紫或

口鼻熱赤小水澁痛之類皆熱症也且熱瀉者必暴而甚寒瀉者必徐而緩皆可辨也治熱之法當察火之微甚勿使藥過於病恐致傷脾則反為害經曰挾熱而利者其腸必垢挾寒而利者其溏似鶩寒者溫之澁之熱者清之通之此古人之治法也至於痘瘡養膿之限有泄瀉者最為大忌蓋恐中氣虛而毒復陷也故專以溫補止澁為主又更有一重利清水者利膿血者又不可與寒涼者同論而用止澁假如曾有大渴飲水過多者

臟於中潰灌腸胃今乃作利清水者此名畜水泄水去盡則止也更有因痘不收以成倒靨幸或中氣克寔毒不得留乃自大便而下膿血者為倒靨泄也泄盡膿血為毒出而自愈也若不知此二端妄投止澁則根蒂未除枝蔓滋長源泉欲塞決潰更深矣

一凡發渴乃泄瀉之常候蓋水泄於下則津涸於上故凡泄瀉者必多口乾口渴但乾與渴不同渴者欲飲乾者不欲飲渴者屬陽乾者屬陰此其辯也然有渴欲飲

水者此火症也有渴欲飲湯者此非火也有雖欲飲水而不能多者有口雖欲凉而胸腹畏寒者皆非火也然則病渴者尚有陰陽之辨而燥夫但乾而不渴者此寒水虧而然若作火治鮮不爲害故凡有久瀉津亡而餘渴者當審其非熱而不可不壯其水也

一若脾氣虛弱飲食不化其泄滑利而色帶白宜用參苓調脾散 二百十

一凡虛寒泄瀉症無大熱口不喜冷惡不洪數腹無熱脹胸無煩燥飲食藏夾而忽然自利者[illegible]

並屬寒切不可妄用寒涼之劑再傷脾土必致不救矣
溫胃飲九三養中煎九二五君子煎百八四理中湯五九四君子湯
九十之類隨宜用之　一凡寒而腹有微滯而為泄瀉宜
六味異功煎百七三或五味異功散九一加砂仁
一凡泄瀉兼嘔兼痛而氣有不順者宜養中煎加丁香
木香或四君子湯合二僊散百三一　一凡泄瀉山根唇口
微見青色或口鼻微寒手足不熱指尖微冷瀉色淡黄
或兼青白睡或露睛此皆脾腎虚寒之症非速救命門終

不見效宜胃關煎百七八理陰煎百七九或陳氏十二味異功散九七亦可　一凡泄瀉勢甚用溫脾之藥不效者則用胃關煎百七八理陰煎百七九

關煎溫胃飲九三或陳氏十二味異功散送五德丸百八五或肉豆蔻丸百三七　一若胃本不虛但以寒濕傷脾或飲水而為泄瀉者宜用佐關煎百八六或抑扶煎百八七或益黃散一百加豬苓澤瀉或五苓散百四五　一凡濕熱內畜小水不利微熱不甚而為泄瀉者宜五苓散百四五四苓散百十小

清飲百九十加木通主之　一凡濕熱稍甚清濁不分而泄瀉宜四苓散百十加姜炒黃連或合黃芩湯百九三治之　一凡食多脉盛氣壯而泄瀉者宜從熱治宜用黃芩湯百九三加黃連治之　一凡熱在下焦小便赤澁而泄瀉者宜大分清飲百九一或合益元散三四治之　一凡濕熱在脾泄瀉内熱而兼腹痛者宜香連丸百八八　一凡頰赤身熱頭疼咽痛口瘡煩燥而泄瀉者陽明火症也宜瀉黃散百二四　一凡內熱泄瀉者而兼氣虛者宜四君子湯九十加芍藥黃連木香

一凡濕熱在脾瀉而兼嘔者宜黄芩湯百九三加半夏生姜或襍藥大半夏湯百八九加黄芩　一程氏曰泄瀉須分寒熱寒者小便清宜理中湯五九或參苓白朮散百九六然參苓非泄瀉發泡者不宜用以其滲利故也按此說治瘧者即滲利亦忌豈可妄為消伐以殘其氣血津液矣乎

一陳氏曰瀉頻耗液則血氣不榮瘡雖起發亦難救靨如身溫腹脹氣促咬牙煩燥譫妄者皆難治緣穀食去多津液枯竭故多死矣速宜十一味木香散二百二一或十二

味異功散九七　一起脹之辰忽然泄瀉者宜急止之恐其腸胃虛真氣脫毒内陷耳又宜分其冷熱寔虛如瀉而手足冷面色青白瘡不紅綻者寒症也宜理中湯五九如瀉下之物黄又酸臭手足心熱面赤口渴而瘡紅綻掀發者熱症也宜五苓散百四五　一痘瘡出形起發並不宜泄瀉者恐裏氣虛弱毒邪不出反成陷伏耳然至成漿之辰較之於前殆有甚焉盖前則其病未久脾胃尚彊猶可任之今則其病已久而津液已衰脾胃已弱若

復泄瀉則重竭於内而方張之毒不能成就於外是以
或為痒塌或為倒靨或為寒戰咬牙虛憊而死治宜輕
則參芪桂棗重則木香異功散七　然候至灌膿則元氣
盡耗於表中氣必虛並則下陷而腸鳴失氣便溏泄瀉
所易至也凡用藥調治並宜預為謹慎
一靨後泄瀉凡痘自初出以來表裏俱病始至收靨之
日則表邪已解裏氣當和大便宜潤小便宜清如反為
爾泄瀉水穀者此因中氣暴虛而不能禁錮毒氣乘虛

入囊欲作倒靨反袪水穀耳宜異功散百十五如利止者佳否則陽脫而死矣

嘔吐噦 十六條

一凡聲物俱出者為嘔如物獨出者爲吐如聲獨出者為乾嘔其乾嘔與噦皆聲之獨出惟乾嘔其聲小而短噦則其声重大而長吐在初起者是火炎上之徵至於嘔噦乃毒內攻之兆然有暴大吐作不已神亡欲絕面青厥冷惡症備見而反覺膈快神強者是正氣欲脫內熱悉去熱則神昏寒則神清是以漸覺寬快但正氣大虛邪氣必奪故不久頓發喘汗昏厥而死

猶燈盡復明也又如嘔噦在病深者尤為惡候蓋人以胃氣為本胃者土也土敗木来侮之故木挾相火之勢上乘于胃其氣自臍下直犯清道上出賁門微則乾嘔甚則發噦總皆土敗之象經曰木陳者葉必落弦絶者聲必嘶病深者聲必噦

一凡瘟疫嘔吐大都屬寒者多寔熱者少但當以温養脾胃為主即或有兼雜症者亦必有寔邪可據方可因病而兼治之故輕用寒涼攻消耗等藥不可也又嘔吐之病病在上中焦切不可發

用下藥致犯下焦元氣則必反甚而危矣即或有大便不通者亦當調補胃氣從緩利導但得脾胃氣和則升降調而便自達此不可不知也 一如胃氣弱而有塞嘔吐不思飲食或食下即吐其吐多順快而無聲面青唇淡精神倦怠用參砂和胃散二百八主之

一痘嘔吐不已聲濁而長或乾噦者最是痘家之惡候不可尋常輕視如灌膿辰凡痘瘡太甚者喉中亦有之至成漿辰喉瘡早熟肉虛皮薄易致破損瘡痂新潰瞬

之卽痛痂皮粘滯痰涎纏結所以填塞其間飲食難入勉彊吞嚥則為疼痛是以水入則嗆穀入則嘔也如語言清亮者可治若聲啞嗄語言不出咽喉潰爛者不可治也惟痘本輕疎因傷食腹痛而嘔者宜平胃散（百五四）加減主之 一如因食生冷冷傷脾胃是以瘡變灰白而嘔者宜異功散（百十五）加減主之 一如痘出太密喉舌皆有是以隱辰嗆水吐食且挾雜膿痂皮痰涎而出者宜甘桔湯（百五[illegible]）加減辰辰飲之 一如瘡不透甚膿不滿頂忽然轉屬

之辰雖卽不飮不食常自嘔噦者此逆痘也卽所謂本桔弦絶必致失聲悶亂而死

一凡癍瘡別無風寒食滯脹滿痰痛等症而爲嘔吐或乾嘔惡心者必脾胃虛寒也宜六味異功煎百七三五君子煎百八四參薑飮百七四之類或溫胃飮九三理中湯九五九皆可酌用

一脾氣微寒微嘔而中焦不寒者宜五味異功煎九一

一胃口虛寒嘔吐而兼有痛滯者宜六味異功煎百七三送神香散百七七或調中湯百七六亦佳

一寒氣犯胃腹痛腹脹

而為嘔吐者宜神香散百七七 或益黃散一百一 加炮姜

一因飲水或食生冷瓜菓而作嘔吐者宜五苓散百四五 加炮姜

一飲食過傷停滯胃口胸膈脹滿而為嘔吐者宜和胃飲百五四 大和中飲百八十 神香散百七七

一凡痰飲停滯胸膈而脹滿嘔吐者宜二陳湯百八一 或橘皮湯七四 加炮姜

一凡三焦火閉煩熱壅滯胃口而為嘔吐者此必陽明火症也宜橘皮湯七四 加黃連甚者再加石羔或用竹葉石羔湯百八二 但此症甚少勿以疑似作是火也

一程氏曰凡痘瘡嘔吐之症須辯冷熱熱吐者六君子湯（百八三）加姜汁炒黄連冷吐者宜六君子湯（加丁香藿香肉豆蔻）

吐瀉（十條）

一凡痘瘡吐瀉有不必治者有當速治者如初熱辰即見吐瀉但欲其不甚而隨止者蓋吐利中自有疏通之意邪氣頼以宣泄不必治也其有（吐利之甚者則不得不治）又有元氣本弱而見此症也使不速為調補必致脾氣困憊則痘出之後虚症疊見而救無及矣此痘前之吐利其當治不必治自有輕重之分也若見點之後則吐

瀉大非所宜速當察其寒熱虛實而調治之

一若毒氣吐瀉者其吐必酸而有聲神氣不甚困倦其泄必黃色臭穢雖有吐瀉交作胸腹多不痛此毒氣由此而發洩所謂順症不必止也惟此一症若虛寒吐瀉當急治也

一凡痘瘡吐瀉雖曰多屬脾經然亦有三焦五臟之辨蓋病在上焦但吐而不利病在下焦但利而不吐病在中焦則上吐下瀉故在上焦者當辨心肺之脾氣在下焦者當察肝腎之脾氣此五臟之氣各有相滋相制之

機誤不明此鮮不誤矣　一凡痘吐瀉中氣虛寒者十居八九然亦有邪寔毒盛飲食過傷而為吐瀉者此宜詳審脉症自有可辯若果有邪寔熱毒則不可誤認虛寒輕用溫補恐反助邪以致餘毒癰腫或為潰爛難收等症

一夫痘初吐瀉有不可驟止者以吐乃出熱瀉乃出毒之義蓋痘毒在內愈止愈甚夫熱毒壅塞於胃口火氣炎上之象不治瘡而吐愈者未之有也但宜表痘之出而吐自止不治吐而吐愈若尋常治吐之法益增吐逆

煩燥之端更不可用辛燥之藥以致血不華色雖似胃寒而用熱藥蓋暴病非陰児痘本熱毒耶

一熱頭身發壯熱毛直皮燥睡卧不安腮紅唇赤氣粗煩渴腹脹便秘而喘急者皆寔症也如兼嘔吐之症雖似乎虛然此熱盛毒重壅過在内不得伸越故上逆攻冲而吐經曰諸嘔逆上冲皆屬於火者是也亦有或為寒冷所搏或為乳食不節或為風冷所乘致使内熱不得發越冷熱相拒而吐然毒不得升越者則從升陽發

散在外若相非而吐者則宜引之在下又有泄瀉之症兼見者夫泄瀉似虛也然此熱毒盛蘊薰炙脾胃不得外達則毒從下陷尋竅而出所謂熱毒下注是也古曰未出而瀉者生既出而瀉者死治宜升提發散引毒達表不得誤加枳殼之劑蓋毒得外解則内瀉自止若傷食而瀉者輕則加消化之劑重則從之又有不思飲食者書曰不思飲食皆屬内虛者是也然不知鬱熱之症因毒氣在内不得達於肌表是以二便秘結腠理阻塞

熱毒壅盛腹脹滿急不思飲食者必然之勢也治法亦宜升提發散引毒達表則熱氣有所伸越而臟腑和平飲食自進矣若誤用丁桂熱藥於泄瀉嘔吐之症是以熱攻熱而轉增煩劇若投參朮補劑於腹脹不思飲食之症則邪得補而愈盛矣

一初熱吐瀉者勿即止之蓋毒從上下出也宜專托裏為主症出而吐瀉自已然久而不止則中氣亦虛其毒不能運出內攻之禍立至矣治法須分寒熱如身熱口

瀉煩燥面赤乳吐如射大便泄瀉小便赤澁睛黄咽燥
居處喜冷者熱也宜澤瀉木通豬苓赤茯升麻之類如
身體凉口氣冷身安静者宜砂仁肉菓参苓之類如吐
瀉不止者是裏氣上逆而不下宜導下之若瀉而不已
者是裏氣下走而不止宜升提之然經大吐大瀉之後
則上下俱脱即當大補雖有他症悉為虚論大抵吐則
因火因痰因食者為多瀉則因火因食因濕因氣虚者
為多初則所因不一久則總歸一虚若至吐瀉大作蛔虫共出者不治

一吐瀉並作此感寒而停食也用升消平胃散二百九

一凡脾胃虛寒吐瀉並作者宜温胃飲九三甚者陳氏十二味異功散九七

一凡脾胃虛寒命門不煖而為吐瀉者飲食不化水穀不分而下腹多痛非胃關煎百七八或理陰煎百七九不可

痢疾

一痢者濕熱鬱於腸胃有傷氣血而成者也痘以氣血為主二者咸傷痘何賴焉治法赤者用四物湯二七為主白者用四君湯九十為主赤白相兼者合而用之腹痛者倍加當歸白芍後重者内加木香理氣赤芍茯苓

者則加阿膠黑乾姜白以不愈者則加黃芪炙乾姜朮
感者則加小柴百七二小便澀者則加木通澤瀉此治痘痢
之大暑也但痢最難捷愈非若痘之有定期也且外臟
內痢表裏俱虛元氣愈陷故宜以治痘爲主大用參芪
補托兼用升提無使元氣下陷毒氣內攻若專以尋常
治痢之法行氣和血則毒反假藥勢內陷於陰何能克
達在表成功況有迹之疾病未除而無形之元氣先竭
則痘不待痢瘥而先斃矣且世間似痢非痢者多以青

皮栱榔而致死者不可勝舉

浮腫 一一身浮腫者譬諸夫穀重穀重必腫而元氣萌達於是苗而秀秀而寔矣況毒發於脾土土必虛則草木茁茂故痘必歎浮腫也浮腫者乃毒火迮于丘阜之間陰陽交相競侮蓋脾主肌肉故膿肉之浮腫由毒氣之洋溢也若氣血充盛者自能逐毒出表直入窠囊則爲漿爲膿所以痘腫而肉亦腫矣順也氣血不足者雖已載毒達表無力直透窠囊爲隱爲伏散漫皮膚所以

內腫而痘不腫道也治者一見其機便於大補之中寓用角刺天蟲山甲之類則毒有所歸自無妄腫之患也一痘黶之後若失調理或傷飲食或感風濕以致傷脾脾虛則不制水水溢上行故為浮腫也如因飲食傷者則用健脾利水如因風濕傷者則以汗解之然久病之後五內皆虛脾不能運而氣多滯肺不能輸而氣不降腎不能納而氣不藏所以無根失守之氣任其升降卧則面浮起則足腫恒多有之但調五內浮腫自愈合本治腫終無益也

囊腫 一痘有陰囊腫痛如錫瓜者是膀胱熱甚毒氣流於小腸也宜解毒清熱利水為主若在痘後者是餘毒餘熱濕熱下注也亦宜解毒清濕熱外以石燕醋磨汁搽之

腹脹 十一條 一痘初出腹中常宜寬舒者為裏無邪也若腹脹者是毒氣聚於腸胃不能發出而反伏入也甚者氣喘而瘡無血色或變紫黑多致不救治法則當升發解利使毒氣上下中表分消大便秘而脾熱生脹者為之小便赤而胃熱生脹者利之若腹脹煩渴氣促體倦

手足並冷發噦自便、而腹脹者、此脾胃虛寒也、宜溫補之、身熱脉數、大便不通、煩燥作喘、大渴面赤、譫語不安而腹脹者、此熱毒壅遏也、當急下而兼表發之、若因熱毒正發、為冷所遏、是以陰陽不和、冷熱相搏、毒不發洩以致腸中虛鳴、二便自利、其脉則微、手足俱冷、飲食不進者、則加煖劑以攻托之、若因食乳停滯而腹脹者、則於升發解利藥中、加消食之劑、兼所傷之物、審其寒熱而施治之、若出太盛、而面黃、大便色黑、煩燥喘渴、腹脹

者此有瘀血在裏也宜於清熱凉血劑中加桃仁紅花之類以消之至若目閉神昏口氣臭甚者則氣血已離毒已内潰不可治矣

一凡痘腹脹之症其要有二一以脾胃受傷一以邪氣陷伏蓋痘瘡將發毒由内生其症無不發熱其見微渴此其常也當此之辰只宜温平和解或兼托散無抑遏無窮追無殘及元氣惟貴輕揚善導但令毒透肌表則苗秀而寔無不善矣設不知此而見熱即退熱見毒即攻毒則未有妄用寒凉而不傷

胃氣者未有但知攻毒而不傷元氣者胃氣傷則運行無力而脾寒所以作脹元氣傷則托送無力而毒留所以作脹則作脹之由雖不止此然惟此最多諸未盡者其具詳于左。

一凡誤食冷物或服冷藥而作脹者其人必不能食或大小便利或腹中雷鳴此皆脾胃中寒之症速宜溫中以疏逐冷氣冷氣散則脹自消矣宜益黄散一百一加姜製厚樸或人參胃愛散一百二加炮姜。

一凡胃寒兼虛瘡白神倦或氣促發厥者宜溫胃飲九三

及陳氏十一味木香散（二百二一）俱為要藥

一凡寒在脾胃下焦不化而作脹者非理陰煎（百七九）不可

一凡中氣本虛或過用消伐以致元氣無力不能托送痘毒而陷伏作脹者宜十宣散（五七）或合二妙散（二百六五）或神香散（百七七）

一凡痘毒陷伏於裏者必有熱症相襍如煩燥乾渴大小便秘而作脹者此只宜溫平快氣兼托之劑用紫草飲子（八四）

一凡寒邪外閉臟腠身熱無汗或氣喘鼻塞則痘毒不能外達而陷伏腹脹者宜五積散（六九）或加減

參蘇飲 五五 一凡飲食過傷偶爲停滯而腹脹者此不過一辰之滯食去則脹消宜大和中飲 百八十 或合一妙散 二百六五 神香散 百七十七 一凡腹脹而目閉口中如爛肉臭或大便泄瀉或利膿血者皆不治之症也

腹痛 十五條 一痘瘡腹痛者由熱毒鬱於三陰滯於腸胃臍以上屬太陰當臍屬少陰小腹屬厥陰須分別之治法俱當升發解利痘毒兼分利小便使毒氣上下分消則痛自止故內經所論諸腹痛皆屬於寒惟瘡疹初熱腹

痛則是其熱毒在内攻動所發皆屬熱毒然亦有虛實之分如腸鳴自利而腹痛者為虛虛即是冷也如發煩燥作渴飲冷腹滿不大便而腹痛者為實實即是熱也惟有肢體厥冷之症所謂熱深厥亦深宜急托裏使毒氣得達於表則臟腑氣和而四肢温煖腹痛自止矣若發熱之際外感風寒飲食停滯而腹痛者宜用升消平胃散二百九十一一劑立止然停食痛者急疾啼呼益甚多在積上面青唇白手足冷毒氣痛者延緩辰作辰止多在臍

下或連腰而痛面紅唇紫手足温兩者宜分辯治之
一如身不甚熱口不作渴辰或作寒辰或嘔吐腸鳴自
利六脉虛細面青手足冷此是脾胃虛寒之症也宜温
補之如面赤作渴煩燥手足熱此是脾胃寔熱之症也
宜微損之如不思飲食噯腐吞酸而係傷食作痛者宜
内消之如出不快而有陷伏作痛煩燥啼呼者宜急表
暴之如大便秘結而譫妄狂亂有燥糞而痛者宜微下
之如誤食生冷而痛者則投温劑以消之如感風寒與

毒相併致毒盡出而身體戰動作痛者宜發散之如腹痛而熱毒在胃辰欲嘔吐者則清解之如瘡出不隱手足發厥有伏而痛者宜大托之若不出者勿治如醫後多熱大便堅塞糞黑腹痛者此畜血也宜清利之至若氣粗口臭唇舌白胎身發戰動作痛不已者此必風寒阻隔陰陽壅塞不通毒歸臟腑已成內潰而胃爛咸膿矣更有毒氣彌漫陽毒入胃是以便血無度腹痛啼哭者併發熱辰心腹絞痛煩悶號呼其瘡陷伏而癢蕭索

痛嘈促者此毒惡之氣攻刺腸胃燔灼臟腑至惡之症也並不可治然凡綿延痛而不止者寒也辰痛辰止者熱也

一凡治腹痛症當以可按拒按及宜飽宜饑辯其虛實不得謂痛無補法而必行消伐之藥又當因脉因症辯其寒熱不得妄用寒凉也大都寒滯者十居八九熱鬱者間或有之若虛不知補而寒因寒用則害莫甚矣不可不慎諸

一痘瘡初出腹痛者是毒在裏也如初起不透而腹痛者是有陷伏也然在作膿則毒已出又無陷伏而忽然

腹痛者其人不大便必因有燥糞也宜通導之若便青者是必受冷也宜温澁之若其出已盡其發已透其膿已成是表無邪也兼能食小便清是裡無邪也而忽然腹脹作痛者煩燥喘促痘瘡色變如灰木之狀者此必傷食得之宜先消之次與養脾氣之藥可也

一凡初見發熱痘瘡未出别無寒滯食滯而腹痛脹滿者此必起發不透痘毒内攻而然宜解表疎裏用化毒湯二百十五 加紫蘇厚樸或五積散六九 加木香

一凡大便不通而腹脹作痛者宜桂枝大黃湯二百三四
一寒氣犯胃或食生冷而嘔惡吐瀉腹無脹滿而但有疼痛者宜溫胃飲九三或理中湯五九加肉桂木香或小建中湯百十七
一胃氣虛寒作痛而喜按者宜黃芪建中湯百十七
一寒犯中焦氣滯作脹而痛或泄瀉者宜和胃飲百五四或抑扶煎百八七加丁香木香或陳氏十一味木香散一百二一
一脾胃虛寒下腹作痛瀉痢不止宜胃關煎百七八
一誤飲冷水涼茶寒濕留中小水不利而腹痛者宜五

苓散百四五加木香或建中湯百十七一飲食停滯中滿作痛者宜大和中飲百八十或保和丸二百五二加木香砂仁若大便不通而痛甚者赤金豆二百五八或承氣湯百三利之

一發熱二三日後大便不通燥糞留滯而腹痛者宜大小分清飲百九二或黃芩湯百九三加木香青皮砂仁

一火毒內攻譫妄在亂而煩熱腹痛者宜退火丹六八或硃砂益元散三四

腰痛 四條

一痘瘡發熱而先腰痛最忌症也腰主於腎人之一大關節也氣血流通則平凝滯則痛腎虛則羸[illegible]

壯癘則屈伸難故腰疼痘之切忌也經曰腰者腎之府又曰太陽所至為腰痛蓋足太陽膀胱為十二經之首其夾脊而入循膂絡腎夫痘瘡之毒起於右腎之下而循足太陽膀胱散於諸經由裏以傳表也凡痘毒自陰傳陽自裏傳外者為順自下傳上自外傳内者為逆若毒由太陽傳入少陰則毒陷而不升伏於骨髓之中不能外達所以腰痛如初熱而腰痛則邪由膀胱直入於腎故關節不利乃腰痛矣其治宜亟解毒以瀉少陰之

邪亟發表以通太陽之經使邪氣不得深入則瘡雖稠密或可愈也治若少緩則太陽之邪由表以傳陽少陰之邪由裏以傳陰表裏受病陰陽俱傷而栄衛之脈不行臟腑之氣皆絶是以或爲不出或爲痒塌或爲黑陷終莫救矣一有因腎經虛怯相火內爍是以真陰不能勝邪故腰疼耳初宜升發達表俟其出後即與地黄丸料以防変黑歸腎乃克有濟此痘多因禀賦腎家精氣不足謂之拆腰痘是也故凡平素面白或辰面赤眼白睛多行語

皆遲頻患頸痛尺脉洪數足冷腰痛或足熱發渴者皆是腎虛並宜預爲調補倍加滋陰補腎之劑至如治之而不愈反兼胸高足冷者則腎敗毒深必難救也然男子成婚破陽之後出痘腰痛者可療以其虛於後天也若童子腰痛難治乃先天之本不足爲真虛也

一痘瘡之毒歸腎則死故但見腰痛急宜治療若毒陷不起即宜發散解毒令其復出太陽而達乎陽道則無害矣宜人參敗毒散百九七或五積散六九主之若腎氣虛陷不

能傳送外達者，必用理陰煎百七九，如細辛、官桂、杜仲、獨活之類主之。一發熱便見腰痛者，以熱麻油按痛處揉之不止，仍急服煎藥之類。如小水不利，宜五苓散百四五；如火毒内盛，小水不利者，四苓散百十加山梔、木通。

咽喉 附口舌齒 十一條

一　夫咽為胃主納，司飲食；喉為肺主出，司呼吸。肺氣下竅，故能受清虛之氣，而不能受有形之物。喉上有物如懸乳，其名曰會厭。凡物入口，則舌低上腭，會厭必掩其喉，故水穀得入咽耳。若瘡生會厭，則舌本強不利，開闔所以食有渣滓，自能入咽，水飲則嗆入喉而瘡也更有吐食者經曰胃為賁門若毒火薰灼於胃則賁門有瘡而傷矣賁門傷則門戶溢塞是以物不能直入於胃緩則汩汩而下急則阻而吐出矣水穀雙不能通藥石又不能治故為惡候然手少陰君火心主之脉氣手少陽相火三焦之脉氣並絡咽喉瘡毒之起君相二火主之其火上蒸故咽喉最為先受是以發熱見點之初不問咽喉痛與不痛先為發散解利如稍遲緩則毒留腫塞飲食不入呼吸不能而危矣故如外瘡

稠密，而咽喉之内獨少不痛者，是毒已盡出，不必過慮。如内多而痛者，須防克灌之辰，水嗆吐食失聲之變，故宜預治，務使痘先行蒸長克灌成漿，則熱毒分消於外，而内症自輕，咽瘡之患可無慮矣。然自此而至收靨之後，喉音日清一日者吉。如病益甚，而喉中氣響汨汨如水聲者死，咽瘡破爛，音啞吐食者死。一咽喉腫痛者，痘多有此症，但七日前見者爲逆，七日後見者無慮，蓋起發貫漿之辰，内外之痘俱大，以致氣

之壅腫而然此痘也非喉癬之毒也待痘外既靨則內症自除不必治之

一徐氏曰咽喉腫痛不能飲食宜內服加味甘桔湯二百三六外看身上有痘之最大者此其毒氣相連宜用香油燈草燃而焠之一焠即愈或用手搶破以涼宍散塗之

一竇太師曰咽喉司呼吸之升降乃一身之橐籥也毒氣不能舒散則壅聚於此腫痛閉塞水漿難入則死生[redacted]係之深可畏也首尾只宜甘桔湯百五五加麥門牛蒡玄參杏仁或加味甘桔湯二百三六及扳草甘桔湯百五六皆可擇用

一如熱甚痛甚者宜東垣涼膈散二三加牛旁或以甘桔湯百五五合黃連解毒湯四加石羔木通牛旁山豆根射干外用玉鑰匙二百九一點之一如咽痛便秘者宜四順清涼飲二九下之以上症治必其內熱方可用此寒涼之劑若上焦雖熱而下焦不熱或不喜飲食者只用加味甘桔湯二百三六徐徐嚥服不必牛旁恐性涼傷脾也

一陳氏曰身體壯熱大便堅寔或口舌生瘡咽喉腫痛皆瘡毒未盡宜四味射干鼠粘子湯二百二一如不應用七味

白朮散百九六　一唇舌與五內相通故熱毒內發口舌必先受傷若毒甚則口舌或紫或白或黑舌或腫大此皆寔熱之症宜內服黃連解毒湯四　加石羔牛旁木通生地或東垣凉膈散二三　若大便乾結者宜局方凉膈散二百八三　外用玉鑰匙二百九一　點之若口舌生瘡者以吹口丹二百九二　或陰陽散二百九五　敷之　一牙齦腫爛成瘡者此陽明熱毒內攻也殺人甚速宜甘露飲二百九六　外用老茶葉韭菜根煎濃湯洗之仍用鷄毛刮去腐肉洗見鮮血乃以神授丹二百九二　或

搽牙散二百九四日三次搽之或綿繭散百三五亦可用之

一牙爛至喉中者用小竹管將綿繭散吹入雖遍口牙齒爛落口唇穿破皆可敷藥而愈然必有黃白膿水者方可治若色如乾漿其肉臭爛日爛一分者俱不治

一牙疳腐爛氣粗熱甚舌白至唇口臭如爛肉大便瀉膿血肚腹脹痛此胃虛毒氣內攻胃爛之症若山根發紅點者此疳毒內攻故見於山根亦胃爛之症俱不治

失音 七條

一夫氣出於肺之氣候而為聲肺清則聲清響

熱則声啞蓋肺屬金金空則鳴惟痘瘡發熱上行熱氣
生痰或因風寒阻塞腠理是以痰唾稠粘有碍氣道故
音乃啞兼有其毒冲逆咽喉而成為痘肺竅窄狹故亦
音啞是肺金受火邪之尅也凡痘色紅紫嗆而音啞者
乃火氣炎上熱毒壅塞也如痘色灰白不起嗆而音啞
者乃氣血虛弱肺胃受傷也總之七日前發嗆失音者
此毒氣薰蒸失於調解以致肺竅不通閉塞管籥甚或
毒無從泄乃內瘡糜爛舌根成坑咽門腐壞呼吸俱廢

變為不治之症其外痘必不先潤也惟六七日後外痘結蒸長先潤而有此者是内痘亦長使之而然也外痘痂則内症自愈不必慮也故善治者若見熱壅毒盛之症則用甘桔牛旁玄參荊芥之類以清氣道不致毒之有犯則自能免此患矣否則熱毒攻冲或有發為腫痛水漿難入言語不通死生須刻者大凡喉病最宜下利此外症之最危者也然有内本無瘡因為熱毒薰蒸或誤食辛熱之物所致急用甘桔玄參牛旁之類如能言

而但聲不清是火乘於肺也宜用花粉玄參麥冬之類若感風寒閉塞而聲不清者則宜參蘇飲五四加減服之治之而即效者吉不效者凶

一凡啼哭無聲而但見喉出者語言無聲而但見口動者此皆毒氣歸腎而內敗也或聲啞如破如硬者此咽喉潰爛也皆難治之症

一凡痘最要聲音清亮若有卒見失音者凶兆也蓋声雖出於肺而源寔根於丹田之元氣先哲云痘已出而聲不變者形病也其病輕痘未出而聲先變者氣病也

其病重瘖出而聲不出者形氣俱病也凡此失音之症夭爲瘂家所忌然亦有吉有凶當詳辯之先師司援喉之爲病莫非火之爲害火無形者也焚灼迅速豈容再誤於藥故脈寔洪數者爲寔熱宜用清凉之法而正治之脈虛細數者爲陰虛宜用假冷之法而從治之少差毫釐便致一息可不慎哉

一風寒外襲皮膚壅閉肺囊或致咳嗽而爲失音此惟外感之症宜解散之用加臧參蘇飲五五或六安煎二百二九加薄荷桔梗或風寒解散甘

聲自出此固無足慮也　一凡火邪上炎肺金受制氣道壅閉而聲不出者宜導赤散三三合甘桔湯百五五加炒牛蒡或甘桔清金散二百四一　一上焦陽虛而聲音低小不出者此心肺不足之病蓋心主血肺主氣痘瘡稠密則氣血俱損故聲不能出宜六物煎六三加麥冬或導赤散三三通氣散二百七九　一下焦陰虛而声不出者其病在肝腎蓋腎為聲音之根若症由肝腎而痘瘡稠密則精血俱為耗竭水虧則肺涸故聲不能出速當滋陰蓋水以救本宜

大補元煎二百五四　五福飲九五　十全大補湯百十一　酌用之

喘急十五條

一喘而加急無問期候見之皆爲惡症然有虛寒之分如氣微息短無力者爲虛如聲粗大氣息且長者爲實蓋肺居氣之至高喜清虛而不受窒礙若鬱氣相干則竅壅塞而發喘然有中氣不足者有肺氣將絶者有痘毒未出氣炎上攻者有痰涎緊併者更飲食倍傷氣壅於肺者有卒犯風寒而外來者有大便久閉而內逆者有因瀉後元氣下陷虛火上壅者有因吐瀉

陽虛不能接納陰火火逆上冲有因過補誤補虛氣無依者重重諸因並宜分頭異治可也

一喘與氣促不同喘者氣粗而壅壅而急喘為肺邪有餘也促者氣促而短上下不相接續此乃肺胃不足也二者一寔一虛反如氷炭若或誤治無不死也

一如泄瀉不已腹脹煩燥汗出如油髮潤作喘者不治總之多因梟毒扇熱玄池耗爍肺失輸降火自升迫喘斯作矣

一凡痘瘆發喘乃惡候也若利止喘定者生其有瀉利

不止或加脹滿或為狂躁或痘毒入肺口張[redacted]目閉足冷而喘甚者皆不治也　一寒邪在肺作喘者此外感之症必咳嗽多痰或鼻塞或身有微熱或胸膈不清治當疎解肺邪宜六安煎二百二九或二陳湯百八一加蘇葉若寒邪外閉之甚者仍加麻黃細辛凡兼氣血不足而風寒在肺作喘惟金水六君煎二百三三為最

一痰因火動而為喘急者宜以清痰降火為主若痰壅上壅者先治其痰宜抱龍丸二百五九清膈煎二百五七之類

一火上刑肺肺熱葉舉大熱大喘者宜人參石羔湯百九十九
一微熱作渴肺燥液衰而喘者宜人參麥門散二百三
一夏月熱甚火犯肺金而喘者宜仲景竹葉石羔湯百二
或六味竹葉石羔湯百八二　一火伏三焦肺胃大腸俱熱
胸腹脹大便秘結而喘者宜前胡枳殼湯三十
一氣虛而喘者人多不知之如下瀉而上喘者必虛喘
也凡小兒喘息覺在鼻尖而氣不長者必氣喘也此寔
氣促原非氣喘若見此症須急補脾肺或撤腎陰輕則

參姜飲百七　或六氣煎二七　甚則六味回陽飲九八

一陽明熱盛火邪燔灼肌肉或身熱煩渴或二便熱澁而汗不收者宜人參白虎湯五三　加黃連

一下爲泄瀉而上爲喘促者急用六味回陽飲九八　或九味異功煎矣不可疑也

一大便不泄而或爲多汗或爲腹脹或見痰飲煩燥但以陰虛水虧氣短似促而厭氣無神者宜急貞元飲二百五五　加參煨姜

一凡治喘促用清心降火等劑而愈甚者此必虛症宜急改用溫補如前諸法猶有可挽延則恐無及矣

咳嗽 三條

一夫咳嗽之所累人者以其難於立止也然[illegible]

治肺而上咳則益害肺而咳愈甚蓋肺受病而爲嗽者必有因以廹之治其因則嗽自愈若徒事於肺則氣無所歸或邪無所散肺愈苦而嗽愈甚矣如痘初咳嗽者因痘瘡挾君相二火上爍於肺肺葉焦舉故氣逆而咳嗽者有聲無痰之謂也治法無痰要有痰有痰要無痰可見治咳有難於治嗽也至若聲如水鷄声者如曳鋸者口中痰涎膠塞者並皆不治　一若在發熱之辰先有咳嗽之症此爲外感風邪之故治宜疎散在將發瘡

之辰者是火邪欲達之勢治宜托痘既有咳嗽更增者是喉嚨有痘故淫淫如癢習習如鯁治宜利咽若灌漿而咳者是肺氣衰弱治宜參芪甘桔之類若靨後而稍咳者是肺通不收治宜潤肺清毒若落痂後而多咳者治宜瀉肺化痰更有身熱而咳嗽連声鼻血者是餘毒在肺也治宜清熱解毒有因久嗽陰虧痰火結滯氣不升降而聲[illegible]者治宜養陰清肺使痰氣流通而痛嗽俱愈也

一痘至作膿之辰略啞痰涎或有膿血夾雜[illegible]喉不利飲食[illegible]此肺受火邪津液不足故多粘痰喉舌牙齒之間且兼瘡潰於內故膿血夾雜者也[illegible]以清肺化痰利咽為主俟其收靨之後則自和平切不可妄用寒凉之藥

覺痘戊卷終

新鐫海上醫宗心領全帙、夢中覺痘已卷之三十九、

海上懶翁黎氏纂輯　後學唐鄗武春軒奉較

目次

頭面預腫四條

一夫人之身諸陽脉上行頭面諸陰脉自頸胸而還故頭面屬陽而瘡亦屬陽以類相從是以起發以至收靨皆自頭面而始蓋升生浮長陽之性也故痘瘡初發頭面以漸腫大則得升生浮長之義不須憂恐只要痘子磊落紅活光壯肥澤則至成膿之後毒化結痂而腫亦漸消矣如瘡粘連通串模糊成餅者只要

紅活潤澤咽喉疏利胸腹寬快飲食無阻而亦自無變矣經曰熱勝則腫大要熱毒盛者必腫微者不腫凡痘瘡出盡毒火發越聚於三陽之分以漸腫矣宜微腫若腫甚大非所宜也其瘡尖圓磊落紅活此正候也如瘡本磊落毒氣輕淺所以起發之辰不甚壅腫此毒輕候也更順候也若一發多起無復窠粒皮色鮮紅瘡本成串粘聚平塌并瘡色灰白或青黄乾燥其腫成餅如錫面者或瘡焦黑而無膿漿不分肉痘一齊撤腫亦或毒伏而不腫亦皆凶兆也

一有頭面腫而目不閉者此毒淺而輕若目閉者毒深
而重瘡蘂而腫消目開為吉未成膿而腫消目開此為
陷也不治更有未見點而頭面預腫者則毒散漫於皮
膚必不能透機而出矣更有痘未起發而頭面預腫皮
光色潤艷如瓠瓜之狀者痘點但隱於皮膚之中肉日
腫而痘不起者此惡毒之氣上侵清虛之府夫五臟精
華皆聚於頭面而埏凡宮者又元神真人出入之處惡
毒上侵則五精俱喪元神亦亡後必瘡塌而死矣

一凡痘起五六日有面目先腫而光亮者是陰乘陽分毒不能發也何者血乃氣之本氣乃血之標血有不足則根本之已虧故致虛陽作動其氣妄行肉分區區不足之血何能載毒而出七日之後傳經已足即氣退毒陷陰陽各失其正尚何可治之有凡治此者可預調氣血若待臨期無能為矣

一凡兼疫毒之氣而頭項腮頷預腫者名大頭瘟火頭風及蝦蟆瘟之屬初起之辰宜從疫氣治之急以姜活救苦湯百六一投服或大連喬飲二四及普濟消毒飲二百十八若腮

頰顙腫此名蝦蟆瘟也亦以疫氣而治亦用姜活救苦湯一百六然係多凶少吉也即應期腫脹者亦必直至潰乾痂落而毒化腫消為妙若在腫脹之辰切忌搔痒蓋正面之中不可少有損破苟有痒破則沙崩之勢漸不可為必邪氣內蝕真氣外泄腫消毒陷而死矣惟得破者復灌消者復腫二便自調者庶幾變凶為吉然尤宜十全大補湯一百十或合苦參丸二百八八以助之若不能飲食吐瀉並作或生搔痒者必死

一頭面腫脹、而目與咽喉痛者急宜解毒兼治之須用消毒化癍湯二百十九去升麻或大連喬飲二五主之

清溫足冷二條　一夫頭乃諸陽之會因毒氣上蒸故溫也足之六經屬水土木蓋足之三陽太陽膀胱水陽明胃經土少陽胆經木足之三陰太陰脾經土少陰腎經水厥陰肝經木水寒則氷土寒則析木寒則枝葉枯落足冷者陽氣絕也故足冷過膝者不治然有因火鬱於上而足寒者矣寔者清上則火自降下虛者溫下則火自歸源而足自

溫矣不可槩例前說委之不治也

一夫痘瘡之候頭面宜凉手足宜溫若頭溫足冷則為逆矣陰陽之氣下絶也一見其机須宜急治

手足厥逆 七條

一痘瘡以手足和煖為貴至於厥則更甚於逆而乃冷也逆則陽氣衰厥則陰氣勝蓋四肢屬脾而繞周身為諸陽之本如指頭微寒則陽氣衰夫陽氣起於十指之端若足心冷則陰氣勝陰脉集於足下而聚於足心也然有焦黑煩渴頓悶喘促而厥逆者此

熱深厥亦深火極似水陽毒內陷也若灰白頂陷吐瀉兼作而厥逆者此元氣虛憊陰陽不接也總皆惡候若手足冷而曾多吐瀉此脾臟虛怯也四肢皆禀氣於胃脾胃氣弱不得至於經矣若在痘未出辰則於發表之內當兼和中不可單行發表以至復傷胃氣至若陽氣虛寒而沸湯不知熱者則急投參附湯重復盖覆使陰返陽回而自順也如陽氣大脫足冷過膝者不治

一痘中逆冷者最為惡候宜急治之此多因毒氣鬱遏

於內而元氣不得行於中外是以致表無陽也宜理中湯五九加減服之然有陰陽二症凡便俱秘煩燥狂妄腹脹喘渴者爲陽厥宜疏利之以宣發陽氣如嘔吐自利陽氣欲脫者爲陰厥治宜温補以追復元陽大抵暴病非陰久病非陽蓋胃傷則生風嘔吐脾傷則生風厥逆此多屬脾官無陽而四肢無以禀受而有此也如養漿之辰手足發熱而且有汗者此熱毒氣鬱於中必二便不通而脉洪滑疾數也治宜和之若手足厥逆者此陽

氣從脫而脾胃虛弱必自吐利不止而脈沉細微弱也宜急溫之服藥後手足和煖者生厥者死若大小便閉煩燥狂妄腹脹喘急而渴脈沉滑數躁不起者此有陷伏爲陽厥也宜大泄其毒

一瘟瘡十指微寒者宜五君子煎百八四 六氣煎七二 六物煎六三 加姜桂溫和以防虛寒之变

一瘟瘡瀉痢氣虛而逆者宜胃關煎百七八或陳氏十二味異功散九七

一瘟始出手足便冷或其人先有吐利致傷脾胃脾胃氣虛則爲厥逆宜六氣煎七二 六物煎六三 加姜桂甚者用

人參附子理陰煎（二百一）一症起脹之辰手足厥逆此陽氣欲陷之候必其人自利或嘔吐脉見沉細微弱或浮大而虛速宜溫補元陽軽則六氣煎（二七）加肉桂甚則六味回陽飲（九八）或九味異功散（九六）服後手足和煖者生（厥不止者死）

一症毒內甚而厥者（必有煩熱便秘脹滿等症宜四順清凉飲九二或承氣湯百三）

眼

附眼痛護眼四條

一目者心之所使神之所寓焉然目得血則能視兼之絡脉及五臟六腑之精氣皆上注於目故陰陽合德而為之精凡痘毒每發於臟腑其熱毒甚之者火

交空虧肝腎虚者眼必受之然若發熱之辰觀其兩目神倦不欲開者瘟也眼中汪汪若水者疹也蓋諸瘡皆屬於心故候見于目也一凡痘於貫膿之辰見戴眼者或大汗大瀉之後多有目睛上吊或露白者謂之戴眼此精氣為膿血汗液所耗乃太陽少陰真陰虧損大虚之症蓋太陽為上綱血枯則筋急所以上吊也速宜大補氣血用六物煎六二六氣煎七二或十全大補湯百十一其有以此為風熱而散之解之者皆速其死也若七日以

前見此多不治或無塊失志不省人事者不治

一痘眼中流淚赤痛或多眼眵此肝火之盛宜清觧之用加味龍膽瀉肝湯二百六七或抽薪飲二百八十加木賊蟬蜕若大便秘結可少加大黄

一痘瘡護眼法宜錢氏黄柏膏二百八七為佳從耳前眼胞上下顴面間日塗三四次可以訶眼希痘

目睛露白

一夫人之一身元氣固則精血為之凝聚貼視為之有常夫目睛露白者是多發於痂落之後元氣虚損榮血耗枯不能潤養其脉以致筋脉縮急致睛上

吊所以有是症也非俗所謂風候也若失志意而不省人事者不治如只露睛而無他症者宜十全大補湯百十一主之惟七日前露睛者毒尚未解真元即離其難治必矣

遍身青紫　一痘瘡之出熱邪内外熏發者也若熱毒方運而為暴寒折之則外寒與内熱相拒内不得出外不得入毒氣壅於臟腑痘如痣點或青或紫俗謂鬼掐者是也治宜發散寒邪温肌匀氣則毒氣復從而痘出矣

面青為逆　一夫面為諸陽之會其色白兼紅黃者皆元

一陽氣之所化況痘疹屬火故面色赤者順也反見色青者是病色不相應且為陰慘肅殺之氣逆也然有因肝木尅制脾土者有因吐瀉脾胃受傷者有因痘出遇寒相搏凝滯遍身青色者更有因身熱煩燥而欲生風者蓋熱者必生風虛者必下利隨所因而治之大抵不外先天陽氣不足後天脾元有虧故為凶多吉少也

寒戰咬牙 八條

一痘有寒戰咬牙者或謂心火熱甚亢極而戰觀痘色之紅白二便之秘利飲食之寒熱脉息之

遲數起發之難易則寒熱洞然矣大抵發於痘初多心肝胃火盛熱毒不得盡出內熱與正氣相搏筋脉因而動搖寒熱症也若發於痘後則多由肝腎兩虛故有熱症乃假熱也如咬牙面赤作渴至夜為甚者此陰虛也宜地黃丸（二百三十）滋飲之故曰咬牙者齒槁也至若瘡色焦黑不省人事閉目無魂譫語狂躁尋衣摸床鬪牙不已者此皆氣血相盡縱毒內攻矣　一寒戰者陽中之氣虛也陽氣虛則陰乘之陽不勝陰故寒慄而戰者也咬牙

者陰中之氣虛也陰氣虛者腎元憊骨氣消索故切齒而鳴也總之虛在氣分則無非陰盛陽虛之病耳非大加温補不可也陳氏曰咬牙者乃氣血不榮不可妄作熱治一寒戰咬牙而氣喘譫妄悶亂足冷者非倒陷即倒靨不治心鑑云七日前見寒戰者表虛也咬牙者內虛也七日後見寒戰者氣虛極也咬牙者血虛極也氣虛者保元湯六一加肉桂以温陽分血虛者保元湯加芎歸以益陰分景岳用六氣煎七二或六物煎六三加桂附治之熱

不應手而止其有獨寒戰獨咬牙亦一體治之或合二似散一百三一用之亦妙

一有寒邪在表身體大熱脉緊數無汗邪正相爭而爲戰慄者此即似瘧之状但散其邪而戰自止宜柴葛桂枝湯二百三九主之

一痘灰白潰爛泄瀉而寒戰咬牙者此純陰無陽之症宜九味異功散九六或陳氏十二味異功散九七亦可

一痘色乾紫黑陷二便不通煩燥大渴而寒戰咬牙者此純陽無陰火極似水之症也宜雙解散二二

一養漿結靨之辰有紅紫掀腫大小便秘煩渴喜水者乃表裏俱熱之症以瘡痛而狼搓忍痛而咬牙也此非寒戰咬牙之屬如熱甚而便秘者宜四順清涼飲九十二加連喬木通金銀　一筋惕肉瞤似戰者以經絡氣血爲瘡所耗不能榮養肌肉主持筋脉故惕惕然肌肉自跳汪汪然膶肉自動本非寒戰之症宜十全大補湯一百十一

一靨後而倦怠者否極泰來之象也宜調養氣血以復其真元然亦有神氣介弱且兼客熱所困是以精

神不能舒暢不可專作虛治宜清熱兼補氣為至如但用保元六一則邪得補而愈盛矣

睡夢嚙呢 附昏睡三條

一衛氣者晝則行陽夜則行陰行陽則寤行陰則寐人之常也凡瘡疹發熱便昏睡者蓋心主熱而脾主困夫心受氣發脾故發熱昏睡此常候也但臥起不寐者內有熱也必多陷伏之变如合面臥者是裡熱也總之痘瘡始終安寢者吉蓋氣血強盛榮衛流行則邪出於表而不在裏故乃神安神安則志定是

以得安寢矣若氣血衰弱榮衛滯澁則邪在裏而不在表故內熱也蓋心惡熱熱則神不安神不安則志不定是以煩燥悶亂譫妄而不得眠也更有痘後毒伏於中是以神衰氣脫僵卧如尸呼之不應飲食不知者是為死痘又不可作安寢而誤論也一痘內之膿皆身中之血薰蒸而成故痘瘡稠密而膿血周遍者則津液消耗矣蓋心主血血虛則舍空是以心熱而虛煩不得眠也宜棗仁湯百七十主之若心虛甚而喜睡夢中喃呢如与

人言其語多恠異與之不省當宜安神丸百五十至多至如悶亂神已失志譫妄不已者壞症也

一痘將出未出而悴然昏睡者其痘必重當察其所症虛實預為治之若痘後昏睡此毒氣已解元氣將復故邪退而神安乃否極泰來之兆不須服藥妄治如見寂然氣虛但用保元湯一六一六物煎二六之類察其寒熱漸以調之自然平復不可妄行消耗致傷其神必反害矣

晝夜啼哭　一凡小兒出痘而晝夜啼哭者當辨其虛實

表裏而治之其有內未得出或外未得散而啼哭者此毒氣不解之使然也有陽邪火盛紅赤撤哭而啼哭者此瘡盤疼痛之使然有心腎本虛邪熱乘陰而啼哭者此或以神志不攝或以煩熱不寧之使然也有飲食不節有偶停滯而啼哭者此胃氣不和腹痛腹脹之使然也知此之由而辨得其真則內未出者表之托之外未散者解之化之火之盛者清其熱神之虛者養其陰若痘毒本微而無故啼哭者多因飲食內傷或二便秘結此

宜去其停滯或通其壅閉務令表裏暢榮衛通行則鍾
龜安泰而痘無不善矣或謂啼哭非痰即熱而一不[redacted]究其本則失之遠矣

譫妄

一譫妄者妄有聞見言語無倫也皆邪氣熾盛正
氣虛弱神識不清所致夫言為心聲心熱則多言故譫
中喃呢者熱之微也寤而言語差謬者熱之甚也有因
胃熱便鞭者有因痘毒未出者有因心脾有熱痘裂出
血便血衄血者然凡妄有見聞如見鬼狀者最為惡候
蓋毒攻於裏心志昏亂神志俱喪軀殼徒存耳經曰衣

被不歛言語不避親疎神明之乱也故為不治又須審其發於何藏如目直視手尋衣領或亂捻物此發於肝是為亡魂如悶亂喘促手掐眉目鼻面此發於肺是為亡魄如上竄咬牙叫哭驚悸或不能言此發於心是為喪神如困睡手足瘈瘲不思飲食此發於脾是為失意如目無精光身縮下墜此發於腎是為失志然因心熱者則似睡非睡喃喃呢呢若因胃熱者則大便堅閉腹痛無倫若因肝熱者則忿怒不平恍惚不定若因腎熱

者則恐怖見鬼神志俱喪晝多譫妄者陽虛也夜多譫妄者陰虛也然在初熱辰則是火鬱而然必痘起則已在行漿辰則是痛極而然必漿足則已若止譫妄而無他症者則以治痘爲主倘兼別症者又當隨別症以審治又有瘡本稠密是以起發成漿之後精血外耗不能養神忽神昏譫語者則治宜養血安神爲主治之而即已者吉不已者死

煩燥十三條

一凡痘以安靖爲貴若忽然煩燥多哭切須詳審其故如別無逆症而忽若此是必瘡有痛而然待

漿成則痛止而煩亦止矣不必治之其或飲食寒熱偶有所因而致然者但當隨症調之則無不即安者夫百病以神氣清爽爲第一其煩燥二症雖似輕症寔爲精神耗竭之機雜症瘟疹俱非所宜也然合而言之煩燥皆熱也析而言之煩者陽也熱之輕也燥者陰也熱之甚也故曰火入於肺則煩火入於腎則燥總皆心火爲之蓋由火旺則金燥水虧也肺熱而煩坐卧不安腎熱而燥必曾自利但宜審於何辰如初發熱而煩者此必

氣內鬱也若癰發現猶煩者此陰虧也如揚手擲足動扯衣被者此熱甚於表也如神識昏迷反覆顛倒者此熱甚於裏也如吐利不食而煩燥者是正氣虛也如液乾口渴虛煩不安卧者是津液不足也如六七日不大便而煩燥者此內實有燥糞也如晝則煩燥夜則安靖者此陽盛於晝至夜則陽氣退而安靖也此陽邪盛宜發陽分也用氣分藥如人參白虎湯五三或加梔子如晝則明了夜則煩燥者此陽陷入陰至夜則陰氣盛而陰陽相爭故

煩燥也宜用血分藥如三陰煎[二百二五]有火邪加梔子如大便黑色面黃狂妄煩燥喘湯腹脹或痛者有瘀血在裏也甚則用桃仁承氣湯[百五七]主之若至吐利厥逆喘促而煩躁者并昏不知人譫妄狂乱而煩燥者是謂悶乱俱為不治之症也　一煩燥而好啼哭及悶亂不眠譫語發狂發驚者此痘家之常候經曰諸痛癢瘡瘍皆属心火盖熱毒蘊於心舍而不發越治宜大加發痘痘出而兼解毒凉血如熱盛而欲發驚搐者要當利小便以導

迹如在成漿之後者非因餘毒則是陰虛也治法不外解毒滋陰二者而已　一痘瘡始終貴於安靜然煩燥之因始終迥別如在初起之辰者此因熱毒在内攻擊而臟腑燔灼所致也則痘出熱解而自已如當起脹行漿之辰身復發熱煩燥者此爲烝漿必漿足痛止熱退而後已至於膿成之後則毒當盡解臟腑和平神宇奕快尤宜安靜矣若忽煩燥不得眠者宜於痘上辯之如漿多清淡尚不滿足者此毒猶在裏未得盡出而然也

治宜托裏取膿如膿飽滿適因發熱發乾而然者此爲燒瘢而欲成寔亦應候也治宜清熱滋陰如瘡稠審是以膿成之後心血虧損故乃虛煩不得眠者是陰不能斂陽也治宜清心補血然此症似輕而重苟服藥而久不愈則心脾二經皆爲熱毒所傷煩則必渴渴則必瀉瀉則必咬牙寒戰而痒塌內攻之患立至矣

一瘡煩燥兼喘者火毒在肺也宜人參白虎湯五三加梔子

一瘡煩燥多驚者火在心經也宜導赤散三三加梔子[illegible]

門或用七味安神丸三六　一痘毒未透伏熱於內而煩
燥者宜六味消毒飲九九或兼萬氏奪命丹一十
一熱甚於內而煩渴熱燥者宜導赤散三三或玄參地黃
湯百九五加木通麥門或萬氏牛黃清心丸三五或四味消毒飲一百
一邪毒未解熱甚於裏而煩燥者宜退火丹六八或萬氏
牛黃清心丸三五或良方犀角地黃湯二六
一陰虛假熱自利煩燥者肝腎水虧也輕則五陰煎二百二六
甚則九味異功散九六或陳氏十二味異功散九七

一痘密膿成宗血虧耗心煩不得眠者宜三陰煎加二百二五麥門有微火者用棗仁湯百七十一大便乾結不通而煩燥腹脹者宜四順清凉飲二九或當歸丸百五甚則承氣湯百三若大便秘結痘瘡陷伏而煩燥者用百祥凡十二或百承氣湯三

驚搐二十條

一痘瘡發熱之際正心火妄動之限切忌峯依驚擾及聞乎然之聲否則皆能發驚及當貫漿元氣升浮榮陰耗散尤宜靖攝否則神不守舍血不循經擾則停漿重爲壞症至於靨後大虛發驚難愈更不可[illegible]

慄也若所云驚痘爲美者謂痘自心經而發故惕惕驚播皆少陽見症從内達外者也豈以外受驚恐有傷心氣又謂之美乎若身熱至二三日痘欲出而不出皆由毒氣在内不得宣發而作耳當觀形察色審聲問症又參之以脉而分辯之如痘色紅紫面赤唇紫声喨氣粗手足熱脉洪數此毒氣壅盛如形色同前但鼻塞聲重流涕脉浮數者此毒氣盛而爲風寒所來也如痘影淡淡在皮下不見紅活唇淡面白或帶青脉又緩乃是氣

血虛而不能送毒當分別辯之勿以痘驚搐為順而皆云不必治
一夫挾熱吐瀉不可投燥藥傷寒身熱不可投涼藥痘
疹發搐不可投驚藥經雖曰諸風掉眩皆屬肝木然痘
瘡之始雖有四臟心寔主之心火熱盛則肺金受尅不
能制伏肝木是以熱則生風風火相搏神氣不安故發
驚搐然何以别其痘瘡之發搐也此必發搐而口無瘡
潮不惡風而惡熱兼有腹痛眼澁心悸煩燥嘔吐唇紅
頰赤發渴耳冷足冷脈數舌白等症蓋痘未出之象則

是毒火上逼神魂為之不安不能自主乃忽然驚惕目睛上竄口眼喎斜手足搐搦驚叫暴厥忽作忽止有驚風之狀此乃欲出之候在症多由風熱蓋心主火而惡熱肝主風而喜動驚痘之火內生於心心移熱於肝風火相搏故發驚搐凡遇此等症切不可妄投鎮驚涼心之藥否則心主一涼痘無自而出矣過用寒涼則氣斂而毒反陷伏痘出不透也故其治法當專以發痘為主少佐平肝利水為要肝平則風息水利則心清風火既

定而痘出驚搐自愈矣　一痘未出之先而發驚搐者多吉既出之後而再見驚搐者多凶蓋痘毒相散而諸谷開張竅理疏解因致牽引伸縮若得疏解散達之氣痘出而驚自止則其内毒（無）留於此可見俗名驚痘最為吉也若既出之後則中之伏火亦宜散矣倘仍見驚搐則是外毒已出而内毒猶未盡此其毒盛莫測而可畏也故凡發驚搐者則隨發隨止為吉若連發不已此毒伏於心肝二臟速宜隨症治之不得誤認以為吉兆痘

既見而有此者是亦熱毒未解是當疏通血脈使毒盡泄於外而驚自平若一失治驚久不已中虛毒伏變爲壞症務要審氣虛血虛而調之血虛者和其血氣虛者壯其中佐以薑桂鼓舞之藥則氣血得力自能逐毒出表若徒以毒藥攻擊即藥力無中氣以運用亦將行而復止欲出外而又縮入矣然其治法又專理脾土何也以其脾土虛弱不能當肝木所尅此非肝木之本病譬如土薄而上有大木不能乘載雖無風而自動栽培者

當厚填其土使根深本固而自無風邪之害也然有脾土寔火太旺而逆乘者有肝經血虛是以火動生風也並當養血而風自滅也更有胃弱而致飲食不化大便酸臭秘瀉不調吐利腹痛潮熱往來面黃發搐謂之食厥瀉者消導之秘者微下之至如痘後驚搐者惡候也蓋至靨後則熱毒當解百病自散如反發驚者則心氣已絕神無所依多不可治　一凡治驚搐之法最當審其虛實酌其微甚如果有風熱寔邪庶可解毒清火但得

稍見清楚要當培養心脾以防虛脫之患若只見發搐則當以調和氣血為主　一心經有熱流注不解熱極生風乃有此候然痘未出而驚是熱在瘡不在心輕也既出而猶驚是熱在心不在瘡危也故云先發搐而後發瘡者生先發瘡而後發搐者死其治之之法如先驚而搐痘者以升麻湯百五八發之痘出而驚自已驚厥太甚者雖全蝎天麻皆所宜用痘既見而驚不止者用五苓散百四五以導其心火則驚自止否則熱氣太過瘡勢必乾

漿水不來難於收靨矣至如未出而搐搦者熱毒內蘊也已出紅綻而搐搦者熱毒作痛也貫膿而搐搦者氣血虛也靨後而搐搦者氣血之虛尤甚也如目瞤或直視而搐搦者風火相搏也口角流涎而搐搦者木來尅土也面赤眵淚而搐搦者肝血虛而生風也角弓反張者水不生木也皆氣血內起之病切勿誤投風藥

一癍氣壅盛於內不能表發於外而驚搐狂躁者宜清解散二百十三

一若內毒本盛外爲寒邪所束鬱不得出而

驚搐狂躁者宜蘇解散二百十四主之 一若氣血虛弱遂毒氣不出而驚搐狂躁者宜溫中益氣湯二百十一以托之 一平肝一驚搐症多由風熱相搏故治宜平肝利小便蓋平肝則風去利便則熱除風熱既平利自愈矣若過用寒涼則氣斂而毒反陷伏痘出不透多致不救

一心脾陽氣虛寒則神怯而易爲驚搐者宜六氣煎二七二加棗仁硃砂 一心脾血虛而驚搐者宜七福飲二百二七或錢氏養心湯二百四七 一肝膽氣虛多恐畏而驚搐者宜茯神湯二百四五

一心血虛睡中驚搐或兼微痰者宜秘旨安神丸二百五十
一心虛火盛多煩燥而驚搐者宜寧神湯二百四九棗仁湯百七十
一痘既出其色紅紫而煩渴驚搐者宜良方犀角地黃丸二六　一煩熱之甚而大便乾澁者多由陽明之火宜人參石羔湯百九十九加硃砂　一心火獨盛而煩熱驚搐者宜硃砂安神丸二百五一或七味安神丸三六　一心火盛小水不利而驚搐者宜導赤散三三加黃連硃砂或合硃砂益元散三四
一癇涎壅盛氣急胸滿而驚搐者宜抱龍丸二百五九或清膈

煎(二百五七)或梅花飲(二百六十)琥珀散(二百六一)此宜暫用以開痰涎碍滯

痰氣稍清即當酌虛實以調理氣血

一風寒外感身熱無汗但有表邪別無虛症而驚搐者宜敗毒散(三百四)或蘇葛湯(二十)寒邪閉甚者宜紅綿散(二百六四)然此皆表散之劑若兼虛邪不得單用此類

一肝膽寔熱大便秘結而煩燥驚搐者宜瀉青丸(二百六二)或七味龍胆瀉肝湯(二百六六)

一血熱見血而驚搐者宜局方犀角大黃湯(三百)若熱甚者宜良方犀角大黃湯(三百十五)

一風寒外感心脾陽虛而微熱不退或咳嗽惡寒而驚搐者宜惺惺散七十

一若虛在陽分汗不能出身熱不退而驚搐者柴歸飲二一

一若外有風邪内有熱邪表裏俱熱而驚搐者生犀散二百六三

汗 附自汗盜汗三條

一夫汗乃心之液内因熱氣熏蒸腠理開泄故液隨氣而泄雖有自汗盜汗之別總能虛人如未灌之辰而汗者則不能灌灌而汗者則不能靨靨而汗者則必至於血脫陽虛變為他症故宜急為調理然有甚與不甚之別焉丹溪曰自汗不妨是濕熱熏蒸而然

也特記夫未甚者耳未甚者不惟無妨是亦痘中之美候甚者則氣血爲之走洩故宜急用參芪之類内加芎小麥以歛之有熱者更加酒芩如盜者汗宜用芩連歸芪白芍生地之類若身冷惡寒而反汗者急進參附桂苓甘草黃芪之類如寒而不已汗出髮潤大喘不止者汗綴如珠者汗而昏沉者汗流煩渴肺絶（而汗出如油者並爲不治）

一凡無因而致者爲自汗若睡中而得者爲盜汗若嬰以上煩熱而多汗者爲胃寔汗若熱甚多汗汗出而熱

解者為邪熱汗若汗流不止而熱反劇者為陽虛汗然在痘以汗為美者以初起而有微汗則陰陽氣和榮衛通暢邪氣不留易出易發也在行漿底而有微汗亦是氣血充足之徵也然有過表腠虛而多汗者有心熱而經汗者有六陽虛而頭顱或頸多汗不過胸者有胃虛而頸胸臍間多汗者有肝木侮土自汗發搐流涎者有胃寬而四肢多汗面赤作渴者有痂落表虛而多汗者隨所因而治之總之汗者血之所化陰氣不能內藏也

若因陽虛自汗者大補其氣以斂之若因睡而汗出者當以補血為主而兼補氣若榮中伏熱津液流溢妄泄者宜於補養之中佐以涼血之藥

一痘後自汗盜汗者肌肉虛衛氣弱榮血熱也治宜清心調元為主盜汗偏於養陰自汗專於補陽此其治也若渾身如水而髮潤者或汗出如珠者皆亡陽之症治何益焉

一痘疹自汗者以陰中之火自裏及表達於衛氣故皮膚為之緩腠理為之疎津液流行故多自汗但得痘疹

身常潮潤寔為美症此乃陰陽氣和血脉通暢蓋熱隨汗減毒隨汗散邪不能留則易出易解雖見熱甚而汗出之後身必清涼此即毒之消散也不必治之然亦宜微汗不宜大汗若汗出過多則陽氣泄而衛氣弱恐致難靨雖靨或為痒塌寒戰之患此則速宜固表而以斂其汗也又有汗出不止其熱反甚者此邪熱在表陰為陽擾之患速宜清凉解毒陽邪退而汗自斂也若汗出如油髮潤如洗而喘不休者此肺脫之症不可治

一別無邪熱但以衛氣虛肌表不固而多汗者宜調元湯六一倍加黄芪或白朮散百六十 一脾虛於中衛虛於外肌肉無主別無他症而汗不斂者宜人參建中湯二百四

一心氣虛神怯多驚而汗不固者團參散二百七

一或吐或瀉氣脱於中陽脱於外而汗出不收微者五福飲九五加炮姜棗仁甚至手足厥冷或嘔惡不止而汗不收者速宜人參理陰煎二百五或六味回陽飲九八遲則恐致不救

一陰中火盛或身有大熱而汗多不收者當歸六黄湯

一睡中汗出不收者以陽入陰中而陰不能靜也當歸六黃湯二百三二

一陽明熱盛火邪燔灼肌肉或身熱煩渴或二便熱澀而汗不收者人參白虎湯五三或加黃連

一收斂痂脫之後自汗不止者此邪去而氣虛也宜十全大補湯百十一或調止汗散二百八二或外以滑石粉撲之

失血 六條

一瘡之來也隨火而至是以常多迫血妄行血亦隨火而動若陽絡傷則從上焦而出為衄為嘔若陰絡傷則從下焦而出為溺為便若陰陽俱傷則上下俱

失或從瘡間而出者有焉然失血後而多睡不醒者何也蓋心為血之主血失則心之神昏而失其虛靈之性矣諸失血惟鼻出者可治其餘皆絕症也

一痘瘡失血者乃氣盛攻毒為賊邪阻塞清道熱盛火熾而氣與毒相挾交爭血不能勝以致錯經妄道渙散無統是皆氣盛於血之患也毒盛則血熱血熱則妄行治宜犀角地黃之類然有從口而出者有從大小便出者有從瘡毒出者是皆有犯於內皆難治也惟從鼻出

得生者何也蓋為氣盛逐血血載毒奔行周身傳注督脉斬關而出不犯其内無大害也故痘之發雖云氣不可弱然亦不可太盛太盛則傷其血治者安其氣而補血斯無誤矣若下瀉膿血如死肝豆汁者是胃爛也不治至於女人經期先期而至者謂之熱後期而至者謂之寒此常論之然經行至冬並從虛治參芪歸芍補托之劑在所宜施如脉虛神倦者尤宜倍加溫補庶無灰白之虞

一經曰陽絡傷則血外溢血外溢則衄血陰絡傷則血

内溢血内溢則便血痘疹失血者因瘡疹之火薰灼於裏迫血妄行血亦隨火而動耳若作渴飲冷手足並熱者此毒氣熾盛而上溢也若作渴飲湯手足不熱者此脾肺氣虛不能攝血而妄行也若衄血而右寸脉數者此肺金受邪而有火也如吐血而痘亦作渴發熱者此胃經熱毒也並宜透托涼血爲主

一有因大便乾硬燥結是以微血從糞後而出者此或因肛門傷損也如瘡已收而大便膿血外候無變者此

毒邪倒靨正不受邪而毒從利出也並為無害若非此而便血淋瀝昏睡不食者是臟腑敗壞陰血妄行也必死之候

一夫心主血而榮於血痘瘡毒氣太盛則經絡壅塞火毒浸淫鬱成瘀血於心脇之間是以或為心脇痛甚瘡灰黑而煩燥喘渴腹脹矣或熱邪下迫血隨熱注而便血矣便血而熱瘀神清痘轉者此熱隨血解用犀角地黃湯六二主之如便後而諸症愈甚者此邪乘勝正為不治也凡便血而從糞前來者為近血是大腸積熱所致

也從糞後来者爲遠血是胃間積熱所致也皆宜清熱固榮爲主若瘀久瀉久痢之後者是脾胃虛寒不能攝血所致也宜温補而兼升提　一症後失血者多由餘毒熱邪迫血妄行也然因脾虛不能統血者亦有之若自鼻而出者救以玄參地黃湯百九五自溺出者則用八正散二百二八自大便出者則用麻仁承氣湯百五七先削其熱邪次各導血歸經而已如大便秘者並用四順清涼飲一九至之然衄者熱在衛而不動於內溺便者熱在營而有傷

於中故衄症輕而溺便者為重然陰虛火動而迫血妄行者宜養陰以斂之若陽虛不能攝血而妄行者宜補脾以統之勿槩用清凉也

假中風

一夫痘症熱極生風亦有中風之狀或手足腰項彊急或直視牽引口張舌強治宜俱用參蘇飲四五之類痘出熱解而風自已若在起脹成漿之後而見者則為氣血兩虛虛風内鼓危之症也惟峻補氣血或能救之

條二

一腠理者肺氣之門户也苟為風寒閉塞則清

道不能流通而施其令矣是以火動則熱火鬱則寒寒極則熱熱極則寒然痘未出而發者為寒此氣血旺而不受邪觸乃與毒火相爭也若已出之後而發者則為虛矣發於毒盛者為邪勝發於毒少者為虛極發於結痂之後者為餘毒發於因用毒藥太過而元氣虛損者為大過七日前後獨熱者為痘氣是氣血與毒俱盛者也十四日後獨熱者亦為餘毒易治七日前後獨寒者是氣血虛損毒火內鬱也難療寒則發散以清其氣道

虛則補益以固其真元但補益必須看明發散切勿過用若真元一損則無復有可回之理矣

一夫火動則熱火鬱則寒蓋熱毒欲發不出故或往或來也是表裏俱見之症始終宜用柴胡甘草再加隨症之藥以治之然以寒熱分而言之寒則因表虛而入熱則因內寔而生以始末分而言之初辰則為毒盛攻搏臟辰則為氣血釀漿愈後則為榮衛兩虛故七日前後而獨熱者為痘氣氣血與毒俱盛也十四日後而獨熱

者亦爲餘毒易治七日前後而獨寒者爲氣血損而毒火內鬱也難治須急溫補爲要然寒熱作於七八日之間恐有坐陷之患須多服內托散十六以防之

痛癢總論 三條

一諸痛爲實諸癢爲虛實者邪氣實虛者正氣虛也蓋瘡疹爲火火盛則痛火微則癢故常作痛者此邪氣之實也痘瘡之毒發於肌肉皮毛之間氣以束之血以潤之醞釀其毒以抵於化在正氣周旋而不捨毒氣變化而未成則鬱而作痛此其常也毒化膿成

其痛自已至於肉如刀割膚如錐刺大痛不止呌號多哭者此則皮傷肉敗不勝其毒又痛之變而爲壞症也常作癢者此正氣之虛也經曰胃者水穀之海六腑之大源也五味入口則藏於胃以養五臟若胃氣既虛則水穀不化津液內竭不能輸精於皮毛氣失其衛血失其榮不能驅釀毒氣以致成膿乃使毒氣浮沉隱伏聚散倏忽灼於皮毛所以癢也其治宜補氣和中托裏其癢必已若至癱癢不止爬搔破壞皮脫肉坏者此毒氣

內陷正氣外脫不旋踵而告變矣然先痛後癢者此常候也蓋先則毒未解化其火正盛宜尒作痛厥後膿成毒解火氣漸微宜尒作癢也但痛癢俱不宜甚耳

一經曰諸痛癢瘡瘍皆屬心火火熾則血熱熱則乾涸乾涸則氣滯而作痛也然初出辰即痛者是發未盡而熱毒燎灼於皮膚也既出稠密而痛者是毒盛血瘀滯也六日以前多用發散六日以後多用活血因乾滯而痛者則以水楊湯(二百十二)浴之至於瘟瘡發癢如能食而便

堅者邪氣內寔正氣外虛也倦食而泄瀉者正氣內虛邪氣外寔也更有火邪傳於臟皮之間不能即出以致燥燥腠理而癢者亦有醉酒之人近炙或衣被重複而發瘡者更有血方流行而為風寒外束故鬱滯而作癢者總瘡色紫赤飲食能進而氣血充足者其癢屬血熱治宜清涼解毒如色不紅活乳食不進而氣血不足者其癢屬虛寒然胃主臟肉又為氣血之源故治並宜調脾進食活血均氣則免癢塌之患總而言之痛為寔癢為虛

熱微則癢熱甚則痛瘡瘍皆屬於火而虛實大有不同矣
一虛則為癢實則為痛者大槩言之也空則癢瘍則塌
理勢之必然也但焦紫與灰白其症將危勢必俱癢可
見氣虛者作癢而血熱者亦作癢故貴治者於起脹之
日如血熱者先為清熱凉血氣虛者先為補中益氣則
自無此患如待症成而後治之必難愈矣然其人能食
或大便堅抓破復灌成膿其無症處又出一番大小不
一是雖盡破尚可救治若搔癢之底其人顛倒悶亂抓

破之處不復滙成膿水或成坑窟或即乾黑或皮自脫又兼嗆水嘔食水漿不進泄瀉失音寒戰咬牙手足厥逆腹脹啼呼是皆死症也然初見點而遍身癢者此邪氣欲出因皮膚閉密其火遊移往來故瘡癢也此與傷寒太陽病身痒汗不出者同治法宜使腠理開通則邪氣得泄痘起而癢自去所謂火鬱則發之義也若膿灌已成勢將收歛而癢者是邪氣將散正氣欲復榮衛和暢故知癢也此與瘡癤類將痊而癢者相同不須憂慮

謹護之勿令搔破復潰如起壯灌漿當血化為水水未成膿之辰其毒未化而渾身搔癢抓破不寧者此為惡候是與傷寒陽明經病皮中如虫行者同論此所謂虛風外搏邪氣內強也有痂落後而疤癍癢者因榮血耗損皮膚乾燥是以浮火遊行火甚則痛火微則癢耳治宜清火滋陰為主大抵出形而皮肉紅艷起發而皮嫩多水者其後必然癢塌不可不預為調理也然癢塌二症相因故塌者未必不癢癢者未必不塌不塌而癢癢可

治也不癢而塌塌可治也塌癢並作者定然難療至若抓破如湯火泡者不治蓋氣離血散陷塌發癢而無膿者不治

論諸痛

一夫痘疹熱徹氣平神寧意適此係佳兆如痰痛嘵嘵煩燥不已總屬內徵然又有部位之分辰曰之別焉如痛在頭額面在初熱辰者是火欲升也治宜微表在行漿辰者此顱腫痘胖是條正候在收靨辰者是風寒不謹或血氣虛憊浮火上逼耳宜加詳治如痛在咽喉而初熱辰者其屬火也何疑在起脹辰痛極而嗽

亦則喉中痘必繫塞在咽靨者則是火毒相聚須防喘急而為惡候如痛在皮膚而初起辰者是毒火欲洩而肌膚閉塞也在腫灌辰者則是毒化為膿亦是正候在痂落後者則是血枯不能榮養皮膚熏之火灼於外耳如痛在胸腹而初辰熱者是或飲食停傷或痘毒有伏或首有是疾宜細割治如痛在腰膝而初熱辰者雖曰腎経難治然若視其唇不腫口不燥癍不見熱不劇者此是腎氣不能逐毒也便宜升提達表不可妄棄用藥

不可過凉以致沉匿難出也如在四肢作痛者是或見頑悶攝氣不順舒或經僕跌血瘀凝滯或脾陰不足不能灌溉四肢是皆驗痛之要畧者也

一凡痘疹起發痛者其症有數一則毒邪欲出氣血隨之是以肌肉繃急而痛者宜用活血散百四一一則皮厚肉密又為外寒相搏而痛者宜葛根湯百三八若熱毒甚者宜用消毒散九九若食雞魚酒物者宜用清胃散百五九若發熱飲冷大便調和者僅宜四物七二加連喬之類若發熱飲

冷大便秘結而脾胃寔熱者是可清胃潤燥若發熱作
渴飲湯而屬脾胃虛熱者又宜白朮散百六十主之六日以
前多用發散六日以後多用活血因乾滯而痛者以承
揚湯百十二浴之若靨后痛甚治之不愈者亦然大抵身前
痛者屬肺身後痛者屬膀胱身側痛者屬膽四肢痛者
屬胃總宜急止否則號叫傷氣忍痛傷血而多變症矣
故痘瘡不可過食毒物者此耳若至結靨乾硬而痛者
外宜塗酥以潤内服清涼解毒可也

出不快

一陳氏曰凡痘瘡出不快者多屬於虛若誤謂寒熱壅盛妄用宣利之藥致臓腑受冷營衛澁滯不能運達肌膚則不能起發充滿亦不能結實成痂後必痒塌煩燥喘渴而死

一閻氏曰前證若有各經熱盛壅遏而出不快者亦有毒盛痘疔而不能發起者亦有餘毒而潰痒者當細察其因而藥之

一景岳曰按此二子之説皆為有理但此出遲之証總

是氣血內虛不能速達者爲最多若風寒外閉及痘疥留毒而不出不起者雖亦有之但不多耳再若各經熱盛而壅遏不出者則尤爲最多何也蓋熱盛者毒必盛毒盛者勢必疾速而或密或早毋能緩也故凡治此者必當察其熱之微甚以辨處寔再察外邪之有無以辨表裏如無外邪亦無痘疥而火邪不甚者則盡屬虛症宜從溫補不得雜亂以遺後患也諸治法詳報痘三朝治欵中

一痘出不快者有數症須審其有無外感內傷而辯治其所病如冬月嚴寒或非辰陰邪外閉寒勝而出遲者宜五物煎九四加生姜麻黄細辛之類主之或五積散六九亦佳如夏月火熱薰蒸以致血熱氣盛煩渴發躁而出遲者宜人參白虎湯五三加木通乾葛主之

一有因辰氣不正為風寒外邪所襲以致皮膚閉密發熱無汗而出遲者其症必頭痛鼻塞四體拘急酸痛宜疎解飲十九參蘇飲五四惺惺散七十之類主之

一若本無諸邪而出不快者此氣血内虛不能托毒騕送而留連於内宜十宣散五七或托裏消毒散七一

一若氣分大虛而出不快者宜保元湯六一六氣煎七二血分大虛者五物煎九四或六物煎六三主之

一若内有所傷氣滯而出不快者宜匀氣散七二橘皮湯七四加減主之

一頭面出不快當用川芎荆芥羌活防風天麻之類爲引使

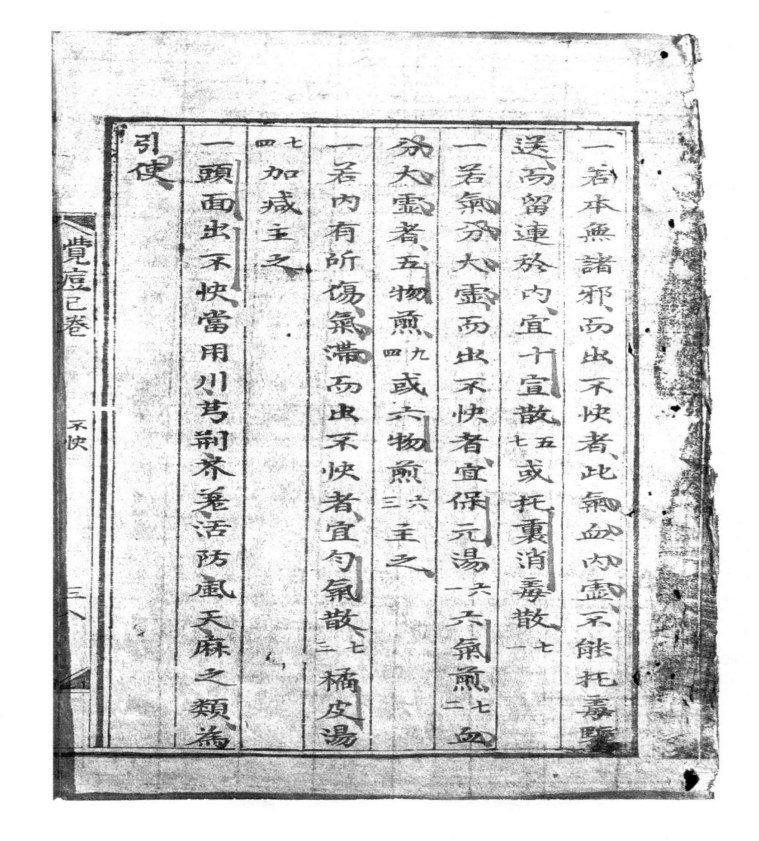

一胸腹㞢不快當用藁本升麻紫蘇及紫草木通湯七
一四肢㞢不快當用桂枝乾葛甘草蓮鬚紫草葱白各八
加生姜爲佐連進二服㞢自快矣　已卷終
東汭社秀才鄧春定百戶丁光典鄧春坚仝助拾捌戻
丁文鏗五戻丁文瑨二貫　小黄社秀才武璉助五戻
百戶武煥范瑶助五貫　唐琛總談總范煙助五貫
秀才杜各芳助三貫　九品武廷槩助三戻
副總謝珖助五貫　杜廷詹助一貫

R.1154

新鐫海上醫宗心領全帙夢中覺痘庚卷之四十

海上懶翁黎氏纂輯　後學唐鄧武春軒奉較

目次

目次終

五陰二條

一夫氣陽也血陰也痘之一症非陽則不能以發其毒非陰則不能以化其毒故必得其陰陽交會氣

和血順也有陽始會陰氣至血附根窠既立而忽中陷者此因元氣不足不能續其後来是以陰血雖有附氣之功而陽氣乃無制毒之力以致陷而不滿生生之道絕矣故其陷有五一曰黑陷者為初出少希後出加密陽會陰之次因陽氣弱而不能續其初出之功血無氣養且兼毒滯而血乾故枯萎而黑陷也二曰血陷者血盛於氣氣弱不能拘領其毒化成漿水而中止久則变而為紫陷也三曰紫陷者為氣愈虛而血無氣畜則毒

之盛負載不前是以血亦爲之離去也四曰白陷者爲氣不足其血亦弱毒無由解陷而爲白久則变而爲灰陷也五曰灰陷者氣血衰敗内外兩虚外如蚕重空殼無漿或虚有根窠内含清水而爲不治然丹溪曰爐灰白色者人知爲虚寒矣又須看其靖怯者果爲寒論如勇者燥者掀發者此又當爲熱看不可槩例也又毒陷者是血與毒相逐氣弱不能拘化乃凝結而不榮乾枯而不潤者也又倒陷者七日之後根窠發足漿滿光榮

或因風寒乘虛外襲氣血凝滯毒乃内攻或吐瀉煩渴氣血乾枯膿漿退去毒因内陷總之未有不因於虛也更宜於虛之中察其皮薄色淡方爲真虛若囊厚色蒼此爲毒氣壅遏不能外達根不鬆發而名爲毒絆矣若從虛治益增陷塌也

一五陷者一皆氣之虧損使然如折奇花少頃生氣既絶則憔悴不榮矣故宜預爲早治凡見形平塌勢不起發摸不礙手兼皮皺甚至頂陷其現症而爲吐瀉不食語言不全此皆氣之虛也即宜

保元 一六 如痘形飽滿輪廓豐厚其瘡堅硬或發壯熱或喘痰壅咳此氣之寔也治宜清肺和解如鼻流清涕咳嗽惡風身體戰慄自汗瘡色慘白者此氣之寒也宜中和之如鼻孔乾燥皮毛枯槁或鼻出血瘡色焦紫者此氣之熱也治宜瀉肺如瘡不紅活淡白發癢不能灌漿以手摸過色即轉白者此血之虛也如身熱不除或寒熱往来瘡色焦紫口苦舌乾唇青面赤脇肚作痛者此血之寔也若瘡色灰慘血凝不活面青筋縮嘔吐清水

或瀉稀水如青菜色者此血之寒也若瘡色昏暗𤸩痒
眼珠紅赤大便堅燥身熱易怒此血之熱也虛者補之
熱者清之寒者溫之寔者抑之使氣血無太過不及但
保元六一冲和之氣自有蒸漿化毒之功何慮五陷之患哉

黑陷

附變黑腰疼十六條

一水火者陰陽之迹也坎離者水火之位也心腎者坎離之配也陽根於陰陰根於陽互為其根所以能變合而生萬物故心配離而生血是陽中有陰乃真陰也腎配坎而生氣是陰中有陽乃真陽也

心中之血即腎中之真水而灌溉滋濡水之德也腎中之氣即心中之真火而煦嘘鼓動火之象也然水善而火惡況人之兩腎左為水右為火經曰七節之旁中有小心小心者命門相火也以其為君之相故云小心以其行君之令故云命門以一水立於二火之間其不勝也明矣運之於中使火不爇爔水不涸流者有神以主之也所謂神者何物也太虛之中神之棲也然水火不並立攝處稍偏則各有勝負盛衰之変況瘡疹之大起

於命門之下二火相合所謂得助者強也是以相火復挾君火之勢肆其猖狂銷爍燔灼無所不至陽道常餘陰道常乏火一赫曦真水亦亡矣真水既亡津液暴竭則其氣滯其發燥而乃熇熇不能潤乎皮毛滋乎腠理瘡中之血亦乾而黑矣是变黑者血色本赤而乾則黑也謂之歸腎者蓋血乃腎中之陰血乾則腎水亦乾矣黑者乃火之死也蓋色之繁紅焦紫由於火之所致然力窮則止故熱則紅滯則焦極則黑猶之火活則色紅火死則色黑曰变黑歸腎毒歸腎也　一凡物生地下則赤稍長則白萎

落則黄枯槁則黒嬰兒初生則赤稍長則白疾病則黄老死則黒萬物皆資一陽之氣以有生此四色者乃是一陽之氣速變者也痘瘡由出現而起發由起發而成漿由成漿而結痂亦人身中一陽之氣流行也再合四辰言之其出現而赤是合春氣發生之令也起發稍變而白是合夏氣長養之令也成漿而黄是合秋氣成實之令也結痂而黒是合冬氣閉藏之令也苟出現而黒是春行冬令也起發而黒是夏行冬令矣成漿而黒是

秋行冬令矣及結痂而又不著痂膿水浸潤者此又冬行春夏之令乎是皆不循遞變之次謂之逆者此也

一黑是腎虛之症豈有腎實爲邪之理而何世用瀉腎之藥一瘡黑色者謂之黑陷然黑陷謂之歸腎者以腎屬水而色黑爲眞臟現也故云不治然此者豈腎獨旺而專權哉本由氣血大虧不能逐邪於表而枯萎耳何世妄謂腎實必瀉而使之更虛不知人之一身大言陰與陽小言心與腎卽所謂眞水眞火也痘瘡之火欝於中類此■黑眞水以制其沖苟或瀉之則火無制本先拔矣況血之乾者色必黑此出於■者色亦黑故經曰火發而膿胅水本已虧火實爲害矣豈堪復謂腎實可瀉水哉況腎主虛邪錢仲陽爲幼醫之祖所製者百祥凡

十二瀉膀胱之水令脾胃復旺乃後人遡度仲陽之意非
其立方之心耳殊不知大戟者又瀉小腸之藥耳心與
小腸為表裏今不直瀉其心而瀉其合使心火下降腎
水上升方為陰陽交媾之道毒氣去而真氣不絶得活
恒多況導赤散三乎亦仲陽所製亦瀉小腸之藥哉但與
百祥丸十二畧有寬猛耳若必以百祥丸為瀉膀胱之藥
毋寔瀉子為論則黑陷似乎腎寔且失本草之性而有
千里之謬矣然紫黑陷者乃血熱乾滞氣不能以運行

當論虛中有餘之症急治猶可復活若陷至灰白者乃元氣衰敗而不能以起發血亦離散而不得以通貫係不足中之更不足也故多難療若倒靨而痘出血不止者名廻陽泉如犯胸脇之地十難救一惟在他處者速覔胴脂胚加血竭一錢俱燒灰存性點上其血收乾者為愈

一痘疹之毒自內而出冲突氣血發達腠理其初出一點血亦是身中之氣血被毒驅逐現於皮膚之外耳故其成形者氣也成色者血也若毒火太盛煎爍氣血乃

先至之氣則削矣先至之血則枯矣氣削血枯瘡色即黑腠理反閉毒不得出復入於裏遂成陷伏此乃毒氣鬱遏非外感風寒内虛吐利雜氣觸犯者可比故治者合下即下合利即利合發即發或解其裏或解其表應變出奇勿泥成法可也辰人以黑瘡曰鬼痘或曰痘疔是深惡而畏之之詞最宜急治遲則蔓延矣

一黑痘有二一則乾枯變黑者此各倒陷乃邪火太熾真水枯涸也是爲歸腎之症不治二則痘色變黑未至

乾塌此疫毒之氣所謂火發而黶眛者此也可用歸稍
生地赤芍酒紅花以凉血黄芪人参生甘草以瀉火補
元氣酒炒芩連牛旁連翹升麻以解毒防風荊芥以疎
表再加燒人糞一錢連進十數劑常有得活者
一痘色乾紅之後必变紫紫必变黑黑必枯陷此血熱
毒滯而行乃內熱漸变一定之機也治者於乾紅之辰
急宜解散凉血退熱清利此項雖平陷不可以氣虛而
用参芪補劑否則氣盛而血愈乾涸矣丹溪曰瘡乾者

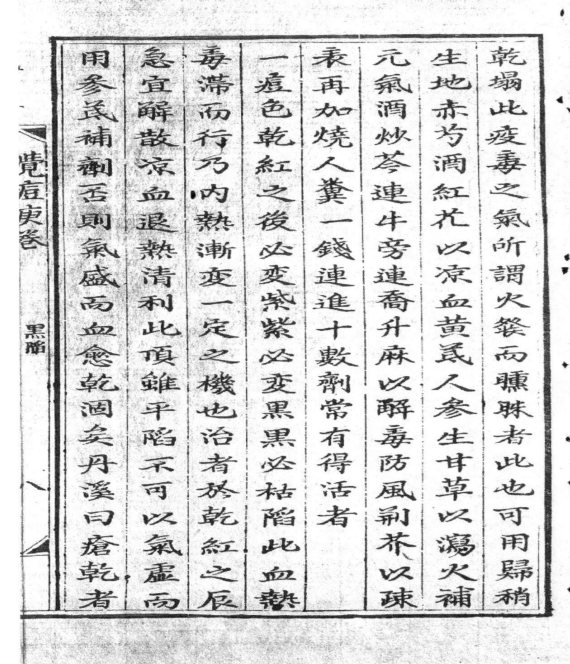

宜退火只用軽劑如荊芥升麻葛根之類
一痘見黑點者是毒不宣發也盖血載毒上參陽位陽不足陰往乘之氣不畜血血亦不榮漸至枯黑宜以保元湯一六加芎歸肉桂提補其氣則毒發而変黑若不爲鼓舞宣發則火欝在内譬諸炒豆火微則黄而爇以其存潤勢也火盛則暴而黑其火性猛烈莫之禦也火久則焦而槁濕潤之體無可復矣
一痘瘡變黑有稱可治者有不可治者何也盖此一症

固係逆症治之貴早緩則變生倏出倏沒遍遷而死凡圖有水　中心黑陷者只用胭脂汁百九塗法蓋待轉紅起胖而止若起發有水頂平而黑者宜内服涼血解毒劑中加燒人糞外亦用胭脂汁塗法若大便不通者此裏熱薰蒸得之宜内服清涼解毒疎利之劑外用膽導百四之法如泄瀉者虛寒也宜用大温補托之劑痘若乾黑脚根堅硬者可用銀針刺去毒血以油胭脂調四聖散百七納之若再皮肉不活根脚不膿煩燥悶亂不食者

決無生理　一痘原有風瘡未愈或瘡初愈而癍嫩是以至痘出辰其處痘集愈盛攢聚成片形色黑潰者急以針刺破之吮去毒血以四聖散百七塗之如瘡焦黑渾身皆是者看其大便何如大便秘者内服承氣湯百三利便則内用十全大補湯百十一外並用水楊湯百十二浴法然有謂之腎虛者有謂之腎寔者總之虛者正氣虛也寔者邪氣寔也

一痘黑陷者必氣不足血不活也宜急托裏散八九或六物煎六三加川芎肉桂紅花蟬蜕調無價散七九或獨聖散

百十四甚者九味異功煎九六或十全大補湯百十一調無價散七九仍外用四聖丹百八點之　一痘見焦紫而黑渾身皆是及身有大熱或大便秘結內熱煩渴者此亦有火毒之症宜四順清涼飲二九或承氣湯百三或萬氏奪命丹十一以解其毒俟火邪暑退即宜用六氣煎七二調無價散七九以托其內亦可望生也　一痘起發之辰但見乾燥其根焦黑即宜速治之如火邪不甚症無大熱惟五物煎九四或六物煎六三為最宜也如有火症火脉血熱毒盛而焦黑

者輕則涼血養營煎百十九或鼠粘子湯三七甚則萬氏奪命丹十一合而服之　一熱毒凝滯大便秘結或煩燥熱渴而為焦紫黑陷者須通其便先急解裏宜柴胡飲子四四或當歸丸百五利後即以紫草飲八五或加味四聖散百六以訖其毒仍外用胭脂汁百九塗之　一大便不結別無大熱等症而痘色黑黯者總由脾虛不能制水故色黑宜速用五物煎九四或保元湯六一加紫草紅花服之外點以四聖丹百九胭脂汁百九若漸見紅活則吉若更乾黑則凶

心鑑云黑痘當用保元湯一六一加芎桂提補其氣氣旺則諸毒自散黑者轉紅矣

附變黑腰疼

一腎之臟水臟也水居北方天一生之故受氣之初先生兩腎左為腎屬水右為命門屬火所謂非水不生非火不成水火相濟陰陽之徵兆也然腎在下府痘疹之初耳獨涼者膀胱為腎府腎不受邪耳惟能存水之德以制陽光者也如耳反熱則水不能制火辰有所謂歸臟之虞矣治宜抑梟炎資腎水況陽常有

餘陰常不足故每有真水既亡津液暴絶則其氣滯其燄燥而乃熇熇乎不能潤皮毛滋腠理痘中之血亦乾而變黑矣黑者火燥水涸而血乾之色也腰疼者毒火亢害之徵也此理之常雖曰黑屬癸水豈可拘以腎寔是為邪而滿哉一變黑腰疼之症本屬火盛極熱經所謂亢則害也外火灼於⿰月幾⿱雨呂之間故其色黑火毒相亢而玄府枯竭故腰疼耳其痘必乾枯或多癍點非紅則紫非紫則黑其屬火也明矣治法大宜升提表散兼以清凉解毒於見

點之初使熱毒得解癍紫得清正痘得見然後調理氣血庶可挽回若癍不退紫不清痘伏隱隱而不起腰疼陣陣而難伸頭面預腫腹脹喘粗者是必痘終不起而難冀其有生矣至有痘將成就而忽變黑倒靨者是亦血熱火亢毒滯血乾而成內攻為逆候也故莊氏曰癍瘡倒靨而黑色者是謂鬼瘡此惡之之詞也若世謂冬寒歸腎變黑之說者豈理也哉

頂陷

一頂陷者是陽虛陰寔之象是以其性好下陷也

総七日前後五陷者是氣不足而不能拘血載毒以成漿也宜保元湯一六加芎歸糯米温胃助氣又以水楊湯百十二沃洗之則至十一二日而漿足者有矣若氣血光潤有起勢者亦不可過於治也深恐滿而過盛反癰百骸若血如死灰漿不滿足或血雖歸附不榮而兼有内症者生命不可保也

倒陷

一倒陷者是痘既圓暈充足飽滿勢在行漿忽然泄瀉内虚氣陷故毒亦隨其氣血而反陷也如血不散走歸附鮮明則衛護之力猶在必有可救之理若血赤不

巔而挾毒攻内者則禍復起於蕭墻其可救乎又有峻用發用毒劑致傷元氣是以藥力一綫則氣血及毒勢必陷伏矣

陷伏十三條

一凡毒搐於内而不出或出欲盡而不盡者謂之伏其症惟一見於見形之辰未壯之先其人症出之後熱不少減煩渴悶躁此有伏毒未盡出者也毒已出外而復陷入者謂之陷其症有四見於見形之後既壯之餘一則因感受風寒觸穢閉塞血凝不行而黑陷者必身體疼痛四肢微厥癍點不長或血漸乾而變黑色

也或青紫隱疹者此爲倒伏也治宜温朧發散則寒邪自去熱氣復行其癰自長矣二則因毒氣太盛內外蒸爍是以毒復入裏而黑陷者必心煩狂躁氣喘妄言如見鬼神大小便閉渴而腹脹者此爲倒陷伏也治宜大利之以瀉膀胱之毒令其陽氣復還脾胃温煖然脹後而身熱氣温能食者是脾強勝胃毒雖盛而裏氣強足以續其後来故能驅毒出外其陷者當自復出可治之兆若加以寒戰咬牙身冷汗出耳尻反熱者死三則因

内虛而不能使陽氣以副榮衛是以出而復沒其黑白色或有黑色必其人不能乳食大便自利或嘔或厥此是胃虛內弱而不能出乃為陷伏也治宜温中之劑令其胃氣幾而榮衛復行則當自出矣更有因誤下之後是以毒氣入裏而黑陷者亦宜急為温養其裏後以葛根桂枝疎解於表則自出矣四則因房室等穢惡氣冲觸血凝乾而變黑者謂之黑陷急用紫草姜蚕當歸紅花川山蟬蛻甘草生地之類外用薰解可也然按古方凡治黑陷

俱用川山甲者取其穿腸透膜善走竄也用人牙者乃骨餘可發苗毒也但二物借為向導施治則可若單用之無益也有用燒人糞者以其善解毒痘乃戾疫所感故用之加入發表和中解毒湯中最妙

一痘之名塌者其形平而不竄因氣血不能交馳而昇峻之功已虧真元不得翕聚而充溢之勢不至故平塌而不能飽滿也更名之曰陷者其體深而危因元氣衰損而邪毒侵侮於中囊殼潰爛而真漿未灌於內故坑

陷而不能振壘也總是元氣虛弱不能拘制其血以載毒出表遂使血離而不附氣亦散而不聚雖起而不能飽滿故名爲陷氣虛極而不能拘血血不受拘而不能載毒以出故名爲塌塌與陷似同而寔異陷則中陷而不起根窠猶在塌則平塌無痕或有痕而無根也有爲陷塌者未滿而塌也有爲倒塌者滿而後塌也有爲頂陷者根窠既立真元虛弱不能續其後來之氣銳勢委頓也故看痘之法其出欲盡出不盡者伏也其發欲透

發不透者倒陷也其收欲淨收不淨者倒靨也伏惟一
症陷有數重风毒之伏者患在未壯之先其瘡雖出而
熱不少減或煩渴燥悶此必有伏毒未得全出也陷則
患於既壯之後其血漸乾而變黒者謂之黒陷膿漿未
成而為痒塌或破損而發不透者謂之倒陷膿漿既成
而復濕爛皮破不肯結靨收不乾淨者謂之倒靨亦陷
類也是皆悪候风治此者使非峻猛之劑安能望其回
生庸醫欲以尋常之藥救此危病其猶放雀搏鷂驅羊

敲虎耳故其輕者奪命丹一十一重者神應奪命丹二百八十五則其庶幾耳倘服藥後而反增黑色者必不治之症也

一陷伏者有因胃本虛弱不能使陽氣以副榮衛故出而無氣血以應是以欲出而復沒癍粟白色或黑大便自利小便不赤而不能食或倦或嘔四肢微厥因內虛而不能出者此爲陷伏也當用辛溫之藥令其胃煖榮衛無滯自然出矣如理中湯五九活血散一百四一皆可審投也

一痘之留伏毒不盡者症有不同當辯治之如元氣不

足托送無力者此必稟賦素弱飲食素少身無大熱而
有出不透即不足之症也宜十宣散（五七）蟬蛻膏（八八）之類加
獨聖散（百十四）主之若虛而有熱者宜用人參透肌散（二百二）
一毒盛氣滯留伏經絡而出不透者必其人體氣厚濁
身有大熱而汗不易出即皆有餘之症宜用荊防敗毒散（百九八）
一表裏俱寔外有大熱內有秘結煩滿（而留伏不透者宜雙解散二三）
一凡乾黑不起而倒陷者當令五症治之一則內虛而
元氣不能自達故致出而復沒或癍點白色或見灰黑

倒陷者必其人不能乳食或腹脹内寒或手足冷或寒戰咬牙皆内虛也速宜温中輕則十宣散七五六氣煎二七甚則陳氏十二味異功散七九或九味異功散六九外用胡荽酒百二三噴之或更用十全大補湯百十一但得冷者煖陷者起黑者紅活便是佳兆若服藥而反煩燥昏乱者死矣二則毒氣太盛内外薰灼不能盡達於表因而復陷於裏乃致煩熱燥擾氣喘妄言或二便不利渴而腹脹是皆毒氣之倒陷也輕者利小便宜用大連喬飲五二通開

散[三二]四順清涼飲[二九]甚者通大便宜承氣湯[百三]並用水揚湯[百十二]浴之得利後瘡出則佳更用加味四聖散[百七]調治之凡此治者但得陽氣不敗脾胃温煖身温飲水者生若加寒戰身冷汗出耳尻反熱者死三則外感風寒肌竅閉塞血脉不行必身痛或四肢微厥瘡黙不長或变紫黑如癮疹者此倒伏也宜温肌散表用桂枝葛根湯[四二]加麻黄蟬蛻或紫草飲[八五]外用胡荽酒[百三三]噴之但令温散寒邪使熱氣得行則瘡自長矣四則或因誤下

毒氣入裏而黑陷者先宜六氣煎二七或温胃飲二九以培養胃氣如表有未解後宜柴葛桂枝湯二百三九以疎散於外甚者再加麻黃五則以房室不潔或爲穢惡所觸而黑陷者宜内服紫草飲子八四外用胡荽酒百三三噴之或用茵陳薰法二百八九并用僻邪丹百二四　一痘將起發辰雖有漿水但色見黑暗者最爲可畏急用六氣煎二七加川芎以養氣血氣血旺則毒自散而色自活矣或以十全大補湯百十一合無價散七九主之　一治陷伏症有三驗法凡服藥之

後但得陷者復腫漸以成膿乃一驗也若原瘡已乾而别於空處另出一層起發成膿漸以收靨者二驗也亦有不腫不出只变自利下去膿血而飲食精神如故者三驗也有三驗者吉無則凶

倒靨 二條

一倒靨者痘點既出外被風寒所感致使臟竅復閉氣血凝澁身痛黴厥大小便秘痘點不長或黑紫或平濶是皆所謂倒靨宜急温肌散風寒如參蘇飲五四小柴胡湯二百七二或加紫草蟬蛻殭蠶之類温散風寒則熱

氣自然流行而痘復長矣更有熱邪乾滯二便不通腹滿喘急熱甚譫語黑陷焦紫者治宜下之下後而氣冷寒戰者凶氣若溫平者吉甚者黑陷乾枯而舌黑者不治

一倒靨之症亦須看大便如何若大便秘結而內熱者宜利之以四順清涼飲二九或三黄丸三一主之凡大便不寔而內不熱者宜補之以六氣煎七二或十全大補湯百十一加防風白芷甚而泄瀉者宜陳氏十二味異功散九七有雖不泄瀉而虛寒甚者宜九味異功散六九敗草散並外用百二八

漏漿 一歌曰誤試漿來未滿囊瘡頭有孔漏膿漿依然團聚封瘡孔洩去真津毒氣藏故痘作膿窠之辰最要皮厚包裹完固如膿未成而瘡頭有孔其水漏出結聚成團堆於孔外者或水去囊空而乾黑者此名漏瘡其症必死若膿熟之後囊皮亦熟是以漿水沸出因而結靨者此頭額正面之間偶多有之此俗謂堆屎收不可以漏瘡論也蓋漏瘡則膿未成而堆屎收則因膿過熟也

空殼 二條 一痘有空殼無漿者蓋因三五日之間身熱太

盛氣血蒸乾是以不能流通而爲漿更有勢將起脹醫用峻攻之劑雖已刼成膿泡然氣血已竭不能續其後来是以漿水不生者然頭乃諸陽之會故漿必先於此滿足次及肩膊腰膝之間有至八九日来頭上方有微漿色即倉蠟而欲收靨身上之漿稍灌腰膝之處全無者是皆氣血已竭生意絶矣更有面上纔少有漿而即腫消泡退兩眼開閉不寧舌頭伸縮無度此毒氣入内之狀不旋踵而告變矣

一至養漿而飽滿者膿已成也

渾濁者膿之形也黄白者膿之色也若至期而猶然空
殼者此氣載毒行而血不附氣寔因氣弱而血衰不能
互相其用以化毒然毒本無形假於血也血旣不至則
毒猶伏於中而不出治宜補血托膿如已成水而清淡
灰白不能膿厚者此氣血俱虛即所有之水乃初出一
點之血今解而爲水是非内潮後起之水也治宜大補
氣血若至將作膿而感受風寒乃停漿者治宜温散而
兼托裏若因觸犯穢氣而停漿者宜外薫解而内攻托

若因便秘而不作膿者宜微利下若灰白或癢而膿不灌者宜溫補其氣若紫赤或癢而膿不灌者宜涼補其血否則甚為痒塌不救輕為癰毒餘愆矣

水泡 三條

一水無土則潰土寔則順理勢然也蓋土為萬物之母而痘瘡之起灌成寔皆賴脾胃化源生發也倘天元薄弱脾土損傷則傳送之官失職生化之機以離氣血弗克充灌於是土潰水浮而泡隨發也然一發泡則痘囊空虛而不飽滿矣有以為氣過則為泡者當言邪

氣之過於冲擊而為泡矣豈正氣之克寔不能逐毒化漿而為水泡鼠痒之患哉又有以部位所屬五行而斷者雖似乎理未免多岐不切治法總之頭為元首之尊胸為受氣之地頸為出入之所背為五俞之屬正痘尚嫌其多況水泡乎惟於手足則如卒伍卑賤之屬少見之而不為害然亦脾虛之足徵也若至被單支片則為惡候乃鼠痒之漸也如向有風瘡或被傷未痊或初瘥癰嗽痘出叢集而化為泡者由外因而致非內病則無害也

一痘發泡與黑陷相類或發水泡或發血泡或赤或紫或黑但見此症十無一生然亦有似泡而寔非也不可不辯或其人身上原有破傷或瘡癤未痊或雖痊而瘢痕尚嫩一旦痘出則瘡瘢四圍痘必叢集此物從其類之理也因瘡作泡則其腐敗皮肉氣色本異宜與完膚有別不得即認為紫黑泡也　一按古論泡之惡與黑陷相類外出內入勢雖不同而毒滯為害則一蓋毒氣猛烈反成鬱遏極則冲突乎陷之處鬱遏之處也水泡

之所冲突之所也熱毒内伏驅逐津液先行耳内宜逐毒鬆肌外以銀針刺破出其紫血以芫荽酒百二三調官粉塗之一法刺去吮血去惡後以胭脂塗之又用百花膏百四二敷之然此瘡極易作痒起發之後宜常用茵陳薰法二百八九薰之勿令破瘡若不慎之則反覆灌爛淹延不愈变爲痒蝕壞瘡以致不治者多矣

涸漿 一涸漿之候即空殼之異名痘形雖圓綻而内寔空虛少頃則涸極而色亦變矣然此固爲氣血兩虛殊

不知又係火爍金枯之故蓋火炎上而梟毒攻冲則血熱不能化漿矣金承燥而腎水枯竭則氣陷而成內虛矣故一見涸機宜急用黃連生地犀角紫草以清火毒繼以參芪歸地培補陰陽杜燥勢於未萌續真元於未竭乃克有濟稍一遲緩定難療矣若能飲食則化源未絕再加滋補十可一生

內潰　一凡七日前內潰者胃爛也蓋因風寒所中腠理固密陰陽二分壅塞不通是以氣既不能拘血而血又不能載毒因其毒內攻臟腑之間毒火炮熾潰而成膿

其候唇口舌皆白此其驗也故智者如痘未出之辰或有風寒阻隔氣粗熱盛腹痛而身戰動急防此患以升麻湯百五八逐散寒邪開洩腠理縱毒而出豈有是症者哉

潰爛九條

一痘所貴者堅寔不破圓淨成痂也其有潰爛者是火勝也經曰熱勝則肉腐蓋火之為用猛烈峻暴近之則燥痒不寧廹之則焦痛難忍灼之則糜爛成瘡故敗物者莫如火也然火生於空非虛不燃乘之以風其燄益烈故痘潰爛者由肌肉柔虛邪風侵襲風者善

行數變是以行諸脈命而散於榮衛之間一旦毒發於裏則風應於表風火相搧肌肉憤䐜皮膚決裂而瘡壞矣如膿成而潰者則毒已化但慮其粘衣漬席不能收效耳外用敗草散百二八襯之丹溪所謂瘡濕者須去濕內用風藥如防風白芷之類或利小便也可若膿漿未成其毒未化痒破潰爛者則衛氣暴泄津液不榮譬如草木剥削其皮則枯萎而死矣經曰根於中者命曰神機神去則機息根於外者名曰氣立氣止則化絶者此之謂也

若靨後復潰者乃餘毒失於解利留滯於肌肉之間宜解毒滲濕若痘爛無膿吐利不止或二便下血乳食不化者並皆不治　一痘膿熟或微有潰爛者此常候也惟於未成膿之先即有潰者此名癍爛有當靨不靨而身多破爛不收者此名潰爛良由未出之先當發散而不發散則熱毒內藏壅於胸膈毒氣奔潰皮膚必潰爛而兼喘促悶亂或不當發散而誤發散則陽氣暴泄腠理洞開表虛毒溢亦致遍身潰爛此皆不善解表之故

也又有陽毒內熾火盛脉窒便結喜冷而失於清利以致陽明畜熱肌肉潰爛者此不善解毒之故也治此之法表熱者宜清火邪表虛者即補營衛且脾主肌肉尤宜調脾進食務令大便得所以生肌解毒但解毒不可至於過冷調養不可至於過熱必得中和是爲良法更有未適小兒瘡雖紅活但稠密無縫則氣血不能克托亦成癰爛是謂小舟不堪重載必致覆沉也若乳食能進禁處全無頹色潤澤咽喉清亮而不腫痛及無他疾

攻害者間有保全更有發表過甚以致外癰爛而內中虛陽氣不守臟腑自利此宜急當救裏宜木香散百二九主之甚至厥逆者異功散百十五可也　一痘瘡收靨其色蒼蠟圓淨堅厚而如螺靨痂癰高突如珠者是正靨也如膿滿而色灰黑兼之乾塌平在皮膚者或頭穿膿出堆聚成痂如鷄矢者次也若皮破膿出皮薄如紙者又其次也若皮爛膿潰不成痂皮而膿汁腥臭者此爲外靨斯爲下矣如過期而然者則譬諸瓜菓熟久則爛此亦

造化之常還作順着若未及期者則為癰爛乃逆候也必變倒靨而死然有因過服參芪托裏之劑而致裏邪雖已盡出其表毒不能自解是以過期而腐爛不收者治宜解表以勝其濕淫之氣解裏以減其鬱蒸之毒則自然易於結痂矣更有內外熱極毒氣散漫無陰氣以歛之者惟宜清凉解毒而已　一痘瘡潰爛先傷於面者蓋面乃諸陽之會痘乃諸陽之毒以類相從如水就濕火就燥也況心之位在面諸瘡皆屬於心是有心火

上炎之象然若面瘡已破而腫消目開者此不著痂先已乾燥病為倒靨而死在旦夕者也如已破復灌滿面成餅焦裂濺起膿血淋漓食穀則嘔飲水則嗆咯唾粘涎語言啞嗄口中氣臭者則此臟腑敗壞故諸症盡見也必淹延悶絶而死如瘡腫潰而飲食無阻大小便調更無他苦如上症者此則可治宜用十全大補湯百十一升陽解毒湯百六六相須兼服外用絶瘢散百六八合百花膏百四二敷之　一表虛不收者必其衛氣不足別無熱症宜十全

大補湯百十一之類或去肉桂加防風芥穗多服自愈

一火盛胃熱潰爛者大連喬飲二四若大便秘者以猪胆導法百四

一痘盛發表太過或清解過當以致表裏俱虛陽氣不守則內為泄瀉外為潰爛急當救裏宜陳氏十二味異功散九七或九味異功散九六

一潰爛膿水淋漓者以敗草散百二八或喬麥散百四八襯之若癰爛作膿痛甚者以天水散三四和百花膏百四二敷之

一痘瘡衣以厚綿圍以厚被或向火偎炮或仁其飲酒

未七日而靨日期未足其收太急而致自面至腰潰爛平塌不作痂者此非正靨乃倒靨也急宜解去衣被勿近火勿飲酒因立一方用黄芪白芷以排膿防風蟬蛻以疎表青皮桔梗以和中牛旁甘草以解毒服後潰瘡復脹則中外毒氣俱得無留而漸可收矣

痘疔 附痘母痘賊十五條

一痘中有形獨大或黑或白根脚脹硬者即是痘疔如疔瘡樣直抵筋骨并黑陷中有微尖頂如椹寔樣或有衆痘攢聚一處形如癬瘡者或有黑

線相牽者或内有一瘡極臭極痛皆是疔也如無此狀是為黑陷然黑陷結硬日久堅聚不散便成痘疔總因氣血腐壞熱毒畜積併結一處兼之辰行疫毒之氣最為惡候故名疔禁一有此疔則諸毒不能宣發痘瘡不能成漿矣

一疔之為累乃血熱毒盛氣凝熱滯而成其色先紫後黑亦有起自白色而為陷為痛與痘初来者頭面居多中間来者腹背居多屬後来者足股居多治之稍緩則周身皆是矣若夫痘母者即賊痘潦漿是

也多於好痘之內潛伏一二个於傍其形脹大蠟黄色
異本痘其害痘與疔相近而治法亦與疔不遠也
一痘有紫黑枯硬而獨大針發不動手捻有核者是爲
痘疔若不去之則一身之痘皆不能發起或皆変黑色
必至死矣甚有黑大而軟者此名黑痘慎不可作疔痘
治也凡痘疔者以熱毒畜積氣血凝敗而成也然其類
亦有數重最爲惡候宜慎察之
一有初出紅點漸变黑色其硬如石者此膿肉已敗氣

血中虛不能化毒反致陷伏也　一有肌肉微腫狀如堆粟不分窠粒者此氣滯血凝毒氣結滯不散也
一有中心黑陷四畔突起戴漿此血隨毒走氣不能充也
一有中心戴漿自破潰爛者此氣血俱虛皮膚敗壞也
一有為水泡溶溶易破者此脾虛不能制濕氣虛不能拘束也
一有為血泡色紫易破者此血熱妄行而氣虛不能完固也
一有瘡頭針孔漿水自出者此衛氣已敗其液外脫也
以上七症與痘疔不同而危險無異　一疔者釘也釘固但於五六日間若見一症多不可治

而不展舒也凡初起若見大便秘結量加大黄以通之外用銀針挑破吮其惡血唾於水中紅者可治黑者難療次以人乳洗淨珍珠細末填入口中或以四聖散塗之更有用山茨菇和蝍蠅肉搗爛塗之以取疔根亦捷而且效之法也或有用隔蒜以灸若毒甚而不知痛者則就着肉灼艾灸後而瘡頭紅腫掀發者則再灼艾可也最宜急治否則色漸紫暗作痛不寧諸症蜂起不能灌膿甚至不救至有曆後而瘟疔潰爛成坑內見筋

骨者危症也宜内服人参桔梗草稍生地紅花連喬金
銀貝母天虫歸芍角刺赤苓木通柴胡之類外用敷藥
可也若内攻臟腑者陰瘡也不治然有毒盛漿清之症
吉凶相半之辰凡有疔瘡若補托得宜氣血復旺則毒
併疔瘡潰膿宣泄反可轉禍為福但内宜解毒托裏外
以銀針挑破四圍摻以珍珠豌豆胎髮灰之類封以油胭
脂潰出其根則毒盡去矣　一痘疔若大者用針挑破
瘡口吸去惡血入後藥末即轉紅活大抵黑陷而疔多

或餘毒不起者多死若疽疔挑去惡血摻藥不變仍是黑色者必死心鑑云疽疔見於四肢不近臟腑者易治若穿筋骨者亦難治但有見於頭面腹背逼近於內者其勢必攻穿臟腑者矣知未穿者急須治之用影過雄黃以真蟾酥拌勻為丸如麻子大挑疔點入立效又或用巴豆一粒去皮膜合硃砂一分研爛點入一辰即效內服無價散九七汲井水加猪尾血三五點調下

一疽疔及黑陷者宜內服六氣煎二七加川芎紫草紅花

木通之類以補血凉血而疔自退疔退後宜大進六氣煎七二或六物煎六三外用四聖丹百八以胭脂汁百九調點之

一原有瘡疹未愈至痘出之辰其破處痘有攢聚而形色黑潰者急以銀針挑破吮出惡血吐於水中其血紅者可治黑者難治須内服加味四聖散百六萬氏奪命丹十一外用萬氏四聖散二百十七塗之

一靨後痘疔潰爛成坑内見筋骨者宜托裏消毒散七一或荊防敗毒散百九八加穿山蟬蛻姜蠶外用神效當歸膏二百九十或太乙膏二百八六或以白

龍散百七二敷之

痘癩

一痘癩者是熱毒拂鬱氣血虛弱而臟肉敗壞也經曰熱勝則肉腐正理論曰脉浮而大大為氣強浮為氣虛風氣相搏必成癮疹身體為痒痒者名為泄風久久為大癩故凡氣血充寔者則自外無虛風內無強邪必無是病惟氣血素虛者則不能榮衛於身而易感天地肅殺之氣是以皮肉之內虛風居之兼以痘疹穢毒疫癘惡氣擊搏熢灼流散四布隨空而出所以瘡本稠密身無完膚瘙癢難任肌肉潰爛而痘

癩成矣宜急內用大補氣血清熱解毒之法外用救苦减瘢散百十五十塗之庶可保全若敗面墮鼻唇崩目盲肢體殘損者縱得苟全終為癈人矣

臭痘二條 經曰熱勝則肉腐故臭痘未有不因火廹所致然多不死者以其得化洩陽明之毒也若臭而黑爛成窩兼之目中無神者則元氣虧竭亦死之症也故臭而紅活膿血流溢者臭而不燥不痒者臭而不延人毒痛者臭而囊不盡脫者臭而皮肉不黑爛者臭而口內無

惡臭者臭而不指爛入筋者臭而身熱氣蒸聲清能食者皆生痘也然須艾葉芫荽燒之以避穢氣兼用升麻紫蘇煎湯揩拭臭處更宜潔淨床被之類內用升托補養之藥為要　一心之臭焦肝之臭燥脾之臭香肺之臭腥腎之臭腐然五臭皆屬於心故曰臭從火化也痘至靨辰肘纔臭者此痘子成熟之氣邪從自內而出為吉若養漿之辰即臭者此毒火敗壞之氣積於中而見外也為凶若至搔癢而抓破潰爛者在灌膿之辰其臭

燥者肝火盛也　其臭焦者心火盛也其臭腥者肺火盛也並危其臭腐者腎火盛也或爲腐痘之氣者皆死不治惟臭香者脾也水穀之府無所不受故爲吉論尤宜以能食不食兼諸候驗之若項腋胸頸氣窩等處凹爛臭黑深見筋骨者必死之症也并在膿漿未成其毒未化之日而臭者是邪火用事衛氣卑淺必至陽絶陰竭而後已

蛆痘　一蛆痘者假濕熱之氣化由膿血而成形夏天患痘成就遲者每多有之然痘而有此則雖美痘勢必惡

痒外宜銀針挑去或用經霜桑葉及野落荷煎湯洗之其蛆自出而痒自止有謂蛆痘不死者以其梟毒盡發於外也有謂蛆痘死者如物朽而生虫之義也宜兼候之美惡以騐之

夾癍十八條

一發癍者陽明受梟炎之毒所致也然症有二陽毒發癍者必壯熱渴燥五心如烙脉紅有力色紅赤者胃熱也可治紫黑者胃爛也不治色純黑者熱毒入腎已極尤為不治之症若熱毒壅盛而大便秘結者宜急下之否則胃熱不得以泄其癍益熾但不可下之

太早否則中氣餒弱其痘難出而為陷伏且熱乘虛入胃麻毒更為難療矣此與傷寒下法之理同也如陰症發癍者必身無大熱手足指甲俱青其脉沉細其色微紅此乃無根失守之火聚於胃薰於肺傳於皮膚而為癍也妄投涼劑則為誤矣故宜溫胃調中為主胃氣和則火自降癍自退而痘自出矣

一腎虛腰疼難立之症而必有癍何也蓋腎為胃之關如熱毒蘊畜而不得泄是以傳注胃經胃主肌肉故發

為癍宜用鼠粘升麻之類於清凉解毒之中兼以升提出表為主如始驟用清胃寒劑則血不行肌肉冰烏能載毒以出必至沉匿於腎而為壞症矣若至身發紫赤黑色等症而眼中白睛之内色如桃花水紅色者蓋白睛屬肺是主内潰肺胃敗壞必不可治其色乃内起淡淡一重水紅之色非若筋膜赤障外浮於睛也

一疹由心熱癍由胃熱癍乃血之餘有色點而無頭粒者也蓋痘自臟而出其勢迅血熱毒盛之痘則血太過

而氣不及衛氣疎缺不能密護脉絡而至太過之血壬其三焦浮游之火而發為之痲是以夾毒上浮矣然至痘毒出齊則內必虛內虛則痲從而解不解當以輕劑散其火邪兼活血解毒之藥凡在初多用表散在後宜用解利伺其痲退血附即用補藥以防其損陷之患然有色赤如火者乃毒滯不能宣發也更有或結痂而發者是餘毒熱盛煎熬肉分其痲必爛當用解毒爛處以生肌散百四十敷之凡紅痲易退紫痲稍難藍痲黑痲熱毒

亢害已極不可治也　一痘出而瘢退者吉或瘢退而痘出堅寔者亦吉否則皮膚瘢爛瘡易瘙癢則赤瘢成塊其肉浮腫結硬者又名丹瘤其毒最酷每有瘡未成就此先潰爛多不可治總之瘢疹必須令退使痘獨成爲妙否則氣血重耗臟腑俱病矣

一痘疹夾瘢與夾疹不同蓋疹則細碎有形瘢則成片無形也凡痘初出有片片紅腫如錦紋者有紅暈與地皮相平而全無興起之勢者皆是夾瘢症也瘢以熱毒

鬱於血分而浮於腠肉之間乃是陽明胃經所主或以寒邪陷入陽明鬱而成熱者亦致發疵俱宜涼血解毒但使疵退而痘見者吉否則皮膚疵爛瘡易瘙痒而皮嫩易破也凡治疵之法大抵疵在起發之前者多用表散在灌膿之後者多用解利如遍身通紅者其治亦同

一治痘出夾疵者輕者只以升麻葛根湯一加石羔玄參甚者人參白乕湯二百合六味消毒飲九九

一治風寒外感表邪不解而夾疵者宜荊防敗毒散百九八

或加石羔玄參　一痲色紫赤而大便秘結者宜四順清凉飲二九利之痲已退即用四君湯九十之類以固其脾庶可免其内陷　一凡治夾痲急宜凉血解毒以姜活散六五加酒炒赤芍紫草紅花蟬蛻木通官桂糯米連進數服痲退後以保元湯六一加木香荳蔻煎服以解紫草之寒防其泄瀉如痘中夾疹治亦同此如稍遲則恐變成黑痲難治矣　一痘結痂之後而見痲者此餘毒煎熬血令必致潰爛宜黄連解毒湯四加當歸赤芍黄芩

石羔甚則大連喬飲二五　一熱毒薰於內大便膿血臭穢而見瘢者此胃爛之症不可治　一發瘢潰爛者以救苦滅瘢散百五十敷之　一夾瘢夾疹本非痘中吉兆然亦有輕重之別須酌而治之　一發熱二三日之間痘形未見忽然遍身發出紅點一層密如蚊蚤所咬者決非痘也此乃瘢疹之屬多為風寒所遏不能發越而瘢先見也宜疎邪飲十九或柴葛煎十七或敗毒散三百四之屬微散而解之但得身涼瘢必退再越一日痘出必輕矣

一痘夾癍夾疹齊出者亦宜辯其寒熱若表裏俱熱而邪不解者宜柴葛煎十七加減主之凡裏邪不甚而表邪甚者宜疎邪飲十九或柴歸飲二一加羌活防風之類主之或敗毒散三百四亦可　一痘夾紅癍如錦紋者宜凉血化毒湯三百五加柴胡玄參犀角之類主之

一痘出夾癍夾疹而眼紅唇裂者表熱也煩燥大渴妄言妄見裏熱也最爲凶症若不表裏兼治何由得解宜雙解散二二主之若加悶亂氣喘者不治

夾疹夾丹 十二條

一痘出而夾疹者先哲謂之兩虎蹲欄蓋痘宜補而不宜瀉瀉則不咼峻疹宜瀉而不宜補補則發喘然在痘初只宜透托一既表痘又兼發疹疹出即解故兩安而無碍也惟在灌膿之際不可太發僅宜助漿劑中去參芪加入粘子桔梗蟬蛻殭蚕等藥一助灌膿而兼理肺氣肺氣既清而陽毒自撤散於上矣至於痘後發者惟獨治疹可也然凡先見疹子而夾出如水痘者此是正痘因疹子耗去榮血故白似水痘但宜發

散疹子則疹散而痘自成不可認作水痘蓋疹子原不
夾水痘者耳　一膚疹者是熱毒之氣發越而然也其
暴出之辰點如麻狀但色鮮赤成片耳治宜清涼敗毒
若疹散數日而痘隨出者則勢稀朗而自美有瘾疹者
多屬於脾以其隱隱在於皮膚之中故名之其發辰多
痒或麻木不仁此兼濕痰之殊若色紅者又兼火化也
治宜解毒為主更有調痧者其形如粟一般尖圓而稍
碍指者中含清水是也總屬熱毒所發名殊而源一也

一夾丹者血熱也在痘未出之辰而見者只宜升提發散而用紫草升麻粘子蟬蛻川芎荊芥防風桔梗乾葛之類痘出而丹自淡若過用寒涼則痘縱伏若在痘出三四日間則宜涼血解毒而用生地牛旁木通荊芥犀角紫草之類然又須看其顏色向如紅紫者熱極也白者痰濕也至於青黑不可爲矣

一痘毒麻毒所屬不同痘毒出於臟麻毒出於腑蓋自孕成之初先有臟而後有腑臟爲積受之地腑爲傳送

之所臟屬陰受毒為最深腑屬陽受毒為差淺痘之發觸於天行辰氣疹之發中於辰氣風寒本非尋常並發者蓋因痘出之際毒趨百竅被風寒阻塞腠理是以血熱壅遏擊動腑毒因乃並出是皆不順之候如痘稀少可以升麻湯百五八解之疹散痘出其勢自順矣若痘太盛則其瘡難辯殊不知氣血已受其戕於前矣誠恐氣弱血傷不能始終以化其毒是尚未可議其有生也然痘當從外解疹當從內解麻疹之發輕而易解若有不解者

乃爲內熱而外中風寒之盛也治法惟宜輕表凉內切勿汗下妄施表軽則肌鬆而邪散內凉則血和而毒透驟汗則氣洩而亡陽迅下則裏虚而毒陷然麻疹多屬於肺故嗽而始出即成粒均淨而小兼陽氣從上故頭面愈多者爲佳治宜升麻葛根湯一小柴胡湯百七二重則麻黄湯二以散表爲主疹散而痘得单成爲妙若如此而不散則肺氣既傷肝榮復損亟之候也若夫丹疹者多屬於脾陰隱在皮膚之間或成塊而赤如雲頭而突

多起於手足身背之間發則多痒或有麻木是兼濕痰之殊色紅者兼火化也總之浮游之火壅血散漫於皮膚耳治宜先以輕劑散火兼用凉血解毒之藥然痘初而夾丹夾疹者不必治之但以托痘為主痘出而此自淡矣

一痘只宜單出若與疹並出者謂之夾疹蓋痘疹之發皆有辰氣而二者並見其毒必甚心鑑曰夾疹者即痘之兩感症也大為不順之候若痘本稀少而夾疹者名為麻夾痘其症則輕若痘本稠密而更加以疹彼此相

混碎些莫辨其症必凶急宜以辛凉之劑解散爲先而托裏次之但得疹毒漸消痘見磊落者乃爲可治若痘疹相雜毒不减少者必危無疑

一治夾疹之法當先審痘之稀密疹之微甚若疹輕熱微者但當以痘爲主痘獲吉而疹無慮也若疹多熱甚者即當急解疹毒欲令疹散而後痘可保也

一痘初出内有細密如蠶子者即夾疹症也若痘稀疹多者但宜解疹毒爲主如表邪不解外熱甚内火不甚

由夾疹也宜疏邪飲十九或升麻葛根湯一剤防敗毒散百九八或十味羗活散二百二二　一如表裏俱熱毒盛而夾疹者宜柴葛煎十七或解毒防風湯百五二或十三味羗活散二百二三

一如内熱毒盛而夾疹者宜六味消毒飲九九或合黃連解毒湯四

一如陽明火盛多熱多渴或煩燥而夾疹者宜白虎湯五二或化癍湯二百十九或葛根麥冬散二百三五

以上諸治如法而疹散痘出者可治然後隨症調理之若疹不散毒不解者難治

一痘疹俱多者痘必太盛

雖治得其法疹毒已解亦必氣血重傷終難為力凡遇此者惟當以保養脾胃調和氣血為主庶克有濟

一凡收靨後復發疹者此餘毒解散之兆不必治之

夾風瘡 條二

一痘夾風瘡則氣血為瘡所奪痘多不能起發成漿況瘡乃陰毒痘乃陽毒陽乘乎陰遇隙而發故痘愈容梟炎逼爍玄水不滋多變焦紫且衛氣易洩風痒自作升發則竅益開寒涼則毒又過若是則治法伊何必先審其患瘡之久近兒質之强弱毒勢之起伏如

瘡已久而收或在頭在足者則宜封其瘡使氣不外洩則痘自起自灌倘瘡縱起而周身密布者則宜觧毒凉血而兼托痘則痘自毘峻熾者和之伏者攻之乃以大補氣血爲主使接續膿漿而無乾枯內攻之患又有若火灸而無皮無汁者是名火灼瘡也尤宜凉血化毒爲主

一痘有夾風瘡而出者則肉分空虛痘集必蜜且氣血爲瘡所奪勢必乾枯黑陷痘多不能起發成漿或熱毒結聚而爲疳者有矣須急連服內托大爲凉血補

血以濟之外以珍珠細末調胭脂塗敷瘡處恐瘡黑蔓延痘亦变黑也

夾癭 一癭者卽頤毒也每有於未痘之前發一小塊色同膱肉不紅不腫不痛最宜急治否則痘辰而加透托則勢先潰爛痘必伏而不起甚有至痘八九日間連肉跌出此塊而內無膿汁者尤極危症是由虛火挾痰所致故宜貝母花粉甘桔之類預為清利解散以免後患

夾癰毒 一癰為陽毒煞癰夾於痘中不可槩以癰毒為論蓋發於七日前者皆瘡也有因素積熱毒內伏遇痘

毒火感激乃併而發者更有素患風瘡未痊或初結癥處肉分空虛遇痘熱毒氣血攻擊復觸虛處而發是以陽瘡陽毒混雜一覚須看其毒湿潤者則氣血俱盛而痘與毒自易成漿也若毒枯燥乾紅則氣血俱弱必毒與諸瘡相抗而俱不能成漿矣治宜大加補托如枯轉潤紅轉白其漿自溢者可愈惟在七日後發癰者陽毒也此即痘之毒併聚一處以假其名也蓋因氣血不能拘收乘載其毒以致氣弱血盛陽分空虛而血乃載其

毒傳注四肢合處合者海也如曲池委中是也總七日前後見者宜縱之以發則痘毒亦從此而發矣若治其毒則必隨痘而散內攻臟腑其可救乎惟於痘毒已解氣血豐盛者則宜解散其餘毒然癰之成也多由氣血不和留結所致况病久必虛故解毒湯中必宜以調和榮衛補益氣血為主即痘始夾癰者亦須大用芎歸黃芪生地殭蚕之類大補氣血以解托其毒（否則氣血為毒所耗而痘必難成功矣）

夾傷寒　一傷寒自表入裏疹痘從裏達表候雖相似症

寔天琳若痘出正發而夾傷寒是邪在表可用發散以微汗之則腠理疏通而痘出自易矣若傷寒在痘三四朝而有煩躁譫語腹脹惡寒煩渴睡卧不寧便閉者是邪在裏可用微下次即隨以升提則表裏和平邪壅自解經絡無滯荣衛得疏毒化成漿自易矣此所謂應犯而犯似乎無犯至如可以不汗不下尤為順候然即汗即下又宜兩安貴乎急則治標緩則治本而兼以痘之期痘之候並參之然真傷寒者少類傷寒者多況小兒八

歲以下無傷寒切勿以頭疼發熱者便作傷寒例論也

夾瘧 一痘與瘧偕来而有難保全者也蓋瘧名脾寒則脾先受傷而虛矣痘者豆也賴土而生長若土先受伐則安能滋培化育況似瘧非瘧者多蓋陽虛則惡寒陰虛則惡熱陰陽虛而寒熱交作若不大爲補益而投以升柴則殆矣

夾癬 一有蒸熱作渴肉瘦黴黄而患痘反多無恙者何也蓋講元氣者不以肌肉論肥瘦言氣血者不可以形骸定虛寔況毒從久病而化肌由潮熱而鬆乎且肥白

之皃肉浮骨脆腎氣多虛能耐諸症而獨難於痘瘡黄瘦之児骨勁筋強腎元多寔雖多生疾病而獨於痘瘡恒無苦也

夾損傷

一有因跌僕所傷是以氣血虧損不可槩用桃仁歸尾之類蓋受傷已耗栄血何堪又復敗之夫痘豈可破敗其血以成功耶故宜參芪芎歸紅花熟地蟬蛻之類以流行其毒滯而宣補於内再加伏神遠志以寧固其心外用文蛤棕灰畲於傷處收斂其表若痛甚者再加乳香若外傷痕濶弗克收靨者則用白芨白斂象

皮末以掺之若傷而不破者則用蝦蟇灰貼以手徐徐摩撫散其滯血可也至於湯潑火烙者則宜療以清凉之劑不可敷以寒冷之方蓋恐凝滯其痘而且熱氣內攻也

論女人出痘經至

一男女患痘固無異也但痘以氣為主而血為附故氣以煦之血以濡之一或不足則变生爲女子乃係陰質十四歲以後出痘者常恐天癸之行荣血一走衛氣隨虛即成陷伏惟斯異耳然有痘疹發熱却非天癸之期經水忽行者此因毒火內動擾乱血

海是以廹經妄行未及期而至也其瘡必多其毒必盛宜玄參地黃湯百九五凉血解毒為主使熱得清毒得解瘡得出經水止方無变患如久不止則中氣虛弱而成陷伏十全湯百十一補而托之更有發熱之辰正值天癸之期經水適來者此則積汚得去毒亦稍解熱隨血清而瘡自出不須施治更不必止之惟過四日而猶不止者是有邪乘血室之虛而逼血妄行為内動中虛之症矣宜先服小柴胡湯百十二加生地黃以清血室之熱後用十宣大

補湯百十一以補氣血之虛令易出易發易靨可也更恐經走則虛觸其惡氣則痘乘虛多變宜用芫荽煎湯洗淨其外內以香艾揉爇去梗淨布包裹緊納陰中辰辰更換再服歸地參芪升麻殭蚕蟬蜕之類虛寒加入炒黑乾姜

論女人經後痘治并居經痘三條

一發熱之辰適因經水方至是以血分空虛者須早服柴胡四物湯三百二以防毒邪乘虛而入若已增寒壯熱神識不清見聞狂妄言語錯亂尋衣撮空者此因血室空虛而熱邪已入血室血

室者冲脉是也而肝主之治宜四物湯二七合導赤散三三加麥冬與安神丸百六五相間服之

一女子経閉者謂之居経滿而不瀉病在心脾瘡疹之毒本屬於心又脾爲主若心脾先病則血室不行衝任之間已多積垢勢必至於瘡疹之火鬱於命門胞戶之中當出不出毒邪留伏致生乖戾者理所必矣是故發熱之初即當滌除停垢宜桃仁承氣湯百五七主之後以四物湯二七合勻氣散七三加紅花木通治之固不可使其有

盈更不可使其有虧也倘居經而痘起脹如常飲食如故而無腹痛他苦者亦不必過治也

一有血海乾涸經水不通而適逢出痘者治法亦宜調其心脾使裏氣既和邪無留伏而自外出否則毒鬱衝壬之間二熱併發互為攻爭則血妄行不止或毒不出而為喘急為腹脹為陷伏矣

論經後失音及陷伏

一女子出痘經水忽行乃暴瘖不語者蓋心主血舌乃心之苗故血去則心虛心虛則少

陰之脉不能上榮於舌故卒失音不語也宜先以當歸養心湯六九養心血利心竅待其能言則以十全大補湯百十一調之更有因月事大行是以瘡不起發不光壯不飽滿不紅活頂平陷色灰白或青乾黑陷者此皆裏虛之候瘡復陷八也治宜十全大補湯百十一奪命丹十一相間服之如瘡胖脹紅綻或痘空中再出一番俱為大吉之兆若加腹脹喘促譫妄悶亂寒戰咬牙手足厥逆必死之症也

論崩漏出痘 一女子一向崩漏未止氣血已虧再若感

患瘡疹則必不能以壬其毒宜十全大補湯以補氣血為主若灰白平陷難發難漿者加熟附一二片使裏氣充足毒無停留而自能飲食自能起脹庶可保全否則倒塌不治矣凡正當起發泡漿之辰最宜表裏無病飲食如常若遇經行過三日而不止者人但慮其穢氣觸動殊不知身中之血一去百脈之氣皆虛毒邪乘虛陷入或難灌漿頂平形塌或為黑陷灰白色矣惟元氣素壯又能食者必無是變如氣虛食少之人未有不如是

也宜十全大補湯主之若虛甚者則少加熟附可也然服此而出贈痘者為吉若寒戰咬牙喘急脹滿手足厥冷者此為內脫不治之症也

孕婦出痘 附臨產產後三條

一孕婦出痘熱能動胎胎落則氣血衰敗而痘不能起發灌漿矣故始終以安胎為主外用細軟之帛緊兜肚上切不可用丁桂燥熱之品及食牛氣諸毒之類以致觸犯其條芩白朮艾葉砂仁之類與候相宜者採而用之其初發熱則以參蘇飲五四發之痘

旣出後則多服安胎飲三百三保之渴者則用人參白朮散百九十八
加減泄者則用黃芩湯三百九三合四君子湯九十內加訶子
血虛者則以四物湯二七加托藥色灰白而起發較遲者
則用十全大補湯百十一去桂服之總之不問輕重悉以淸
熱安娠爲主程氏曰凡婦人有孕而出痘者以安胎爲
主氣虛者保元湯六一血虛者四物湯二七或加白朮黃芩
砂仁陳皮必使胎氣無損爲主
一孕婦出痘正當盛辰忽臨正產者勢必氣血兩虛亦

只以十全大補湯百十一大補氣血為主虛寒者少加熟附子若腹中微痛者此惡露未盡也宜四物湯二七加乾姜桂心木香黑豆用熟地而去白芍蓋恐寒凉有傷於氣然有當用者酒炒用之若寒戰咬牙腹脹不渴而足冷身熱者此乃脾胃內虛外作假熱也宜參芪歸附木香之類一二劑而愈者吉不愈者凶若孕婦肥胖者則氣居於表而歉於內也人參可多黃芪宜少多加帶殼縮砂切忌脫蒂葉子之類至有痘將收靨忽作泄瀉口渴

飲水小便短少其痘胖壯紅潤者此內熱也宜用五苓散百四五內加黃芩芍藥之類至若滑泄不止食少腹脹而足冷痘色灰白脉細無力者此犯五虛必死之症也

一凡方產之後或半月左右適逢出痘者此無胎孕係累惟氣血尚虛治宜大補榮衛爲主若痘出多者則加連翹粘子之類大便自利者則用肉菓炮姜之類餘即照常一例而治不必多疑反生他誤夫孕婦出痘在於初出之辰胎落者則氣血雖爲大虛然熱毒亦因走泄兼

之未經起脹灌漿則氣血未曾外耗倘痘非險逆加以大補托裏每多可生至於收靨之辰胎落者則毒已出表消散亦多無事但重虛而元氣易脫倍宜補益耳若正當起脹灌漿而胎落者則氣血衰敗內外兩虛既不能逐毒以外出則毒必乘虛而內攻為不救者多矣

水痘 一水痘重者亦類傷寒之狀身熱二三日而出形與正痘不同凡瘡皮不薄根起成彙其頭漸漸赤腫變白為黃有膿而差遲者謂之大痘此裏症發於臟也若

瘡皮薄如水泡頂亮如珠或破即爲乾靨出無漸次根脚全散而色白或淡紅冷冷有水漿者謂之膺瘡又名水痘此表症發於腑也類同疹子較疹更輕故熱即出出即消易出易靨其始不宜過發過發則變爲瘡終不宜燥濕燥濕反致難靨惟用輕劑解之如無他苦不必服藥無傷性命者也然古書有云凡水痘夾黑出来者或全黑色者十死一生書載雖有是條而寔未見有是症也大抵原係正痘之惡者故能傷人而人誤作水痘

耳

㝹中覺痘實卷終

132

新鐫海上醫宗心領全帙夢中覺痘辛卷之四十一

海上懶翁黎氏纂輯　後學唐鄅武春軒奉較

目次

論諸臟餘毒

一痘瘥覺清痘後或發癰腫人固知為餘毒矣殊不知氣高而喘息作聲掀胸撻肚者餘毒之在肺也痰涎稠粘咬牙戛齒泄瀉口臭者餘毒之在脾胃也盜汗而發熱煩渴睡中多驚者餘毒之在心也目痛

善怒者餘毒之在肝也耳骫尚熱餘毒之在腎也身腫不消鬱ㄋ不樂諸經皆有餘毒也

論餘毒不止痳瘄目赤

一痘科云痘後餘毒一者痳二者瘄三者目赤痳者心病也瘄者脾病也目赤者肝病也然胎毒之發五臟各有一名心為疕脾為疹肺為膿泡肝為水泡腎為黑陷卽發熱之初五臟俱有現症如呵欠驚悸屬心項急煩悶屬肝噴嚏咳嗽屬肺吐瀉昏睡屬脾耳熱足冷屬腎何獨餘毒只言三臟況三臟之

症又不止此或者舉其重而言之欲人推廣以及耳如毒
歸於心則為癰疹驚怵壯熱痈瘤為諸血症如毒歸於
肝則為悶亂卵腫乾嘔為諸目病為手足拘攣如毒歸
於肺則為咳喘衄血肩臂疼痛或瘡乾燥皴揭如毒歸
於脾則為口穢吐瀉腫脹腹痛不食為手足病如毒歸
於腎則為黑陷多睡腰痛失聲甚則為敗瘡骨病而死
如毒歸腸胃則為泄利便膿血腸鳴失氣大便不通如
毒歸膀胱則為小腸滿痛溺血遺尿頭腫痛目上視惟

臟腑氣血未及大壺則餘毒不能內伏治者失於清解則毒氣逗留經絡外不得泄於𦢊表內不得入於臟腑聚而不去遂為之癰甚者頭項臗髂手足肢節盡皆腫痛根淺者易治若根深蔓引不獨一二處者則為潰筋傷骨而成癃痪或綿延日久而死至於目赤者肝血既虛火乘空竅也瘡癩者血虛伏熱乃毒之最輕者也

論順痘原無餘毒　一痘順者其本疎其毒微自然易出易靨而無餘毒險者其本密其毒盛自然難出難靨而

有餘毒逆者或陷伏或倒靨幸賴脾胃素彊調治又早
是以症雖得痊而餘毒未盡因乃發而為病多犯疥癧
目赤痘毒藉此消除故凡痂落而口不渴身體無熱大
小便調腹中無痛精神漸壯飲食漸加痂瘢紅潤者此
無餘毒也若身熱而渴譫語驚搐大脉浮洪腹痛泄瀉
或小便赤澁大便堅秘精神昏昏痂瘢赤紫四肢倦怠
飲食減少者此有餘毒伏臟也便須審表裏虛寔及陽虛
陰虛而加治之然至痘瘡之後則内外俱虛最宜忌寒

暑戒先淥以養其表節飲食遠房室以養其裏倘表裏失調榮衛氣逆皆可成瘡成痘豈必待因於何毒故毒者偏陰偏陽偏勝之所致豈真有形惡劣之謂歟又不可因虛而緊用溫補蓋靨後原宜清解餘毒但不可太用清涼蓋氣血大虛之後寒多真寒熱多假熱熱去而寒易起也至痘未靨痂未落之際尤不可過用寒涼速退其熱否則未靨之痘不藉燒痂何自而靨未落之痂不藉陽和何自而落其為害也甚矣

論癰疽瘡癬疥癩痤丹治法 十五條

一癰毒蘊於腠膚而鬱熱不散則榮衛不能運行是以結為瘡癤甚則赤腫而成癰毒未膿宜急解表清毒令其易散及已成膿則宜涼血活血解毒托裏使其易愈若膿已熟者必須以針刺去膿血外用膏貼不刺則害傷筋骨不貼則毒反內攻然凡腫毒初起而知痛色活易膿易腫易收者是有元氣而毒淺吉之兆也反此者凶之徵也并發於十二朝內者多在腿脚因癰毒之氣傳注在下也生於湧泉

冲陽者內若成於足內踝太谿者死以毒發於腎也若在
十六朝外者其氣已升毒隨上達故多見於上部及頭項也每多無事
一痘瘡治法宜先審氣血論虛寔察部位而加引經以治如
頭加白芷川芎升麻上身倍加桔梗手加薄桂腰加杜
仲腿膝加牛膝木瓜是其畧也若氣寔能食大便堅者
則用敗毒散十二以疎利之食少氣虛則用十宣散之類
五七以托裏之毒淺而少者則用小柴胡湯百五九加減服之
外用扳毒膏百六七以貼之此治腫瘍之法也若已成腫則

審其毒之輕重或氣血之虛弱宜解毒而補托之潰而成膿未破者則針以去其膿勿使内潰如已潰破者則用十全大補湯（百十一）以主之兼略解餘毒此治潰瘍之法也然氣血易凝滯於灣曲之所故痘毒多發於手肘腕處足膝膕中其在手肘腕者屬太陰肺在足膕中者屬太陰脾並宜解毒内托散（百五一）主之然癰由於痘而痘爲陽毒故痘癰多是寔毒血熱所以多用清熱凉血爲主然亦有氣血虛寒元神虧弱者而用凉血敗毒必致成

者不能潰潰者不能斂矣故貴合宜而用藥不執方也

一痘後有遍身瘡癬如疥如癩者膿血浸淫皮膚潰爛日久不愈者此毒氣彌蔓於皮膚宜升麻葛根湯一之類主之若因搔掐成瘡者只以百花膏塗之更有身發紅點不腫不痛者癍也宜投化癍湯三百一加玄參地黃之類又有發為赤火丹瘤此惡候也其毒紅腫作痛手不可近流移上下宜內用小柴胡湯二百七加生地黃湯三百九玄參化毒湯四百九外用砭法去其惡血否則頭上起者過心

即死足上起者過胷即死　一痘發癰毒者亦名痘母
經曰痘前發母者凶痘後發母者半吉半凶大都毒發
不透必發癰毒故蘊結於經絡之間然其壅結者猶無
足慮惟其不能消散及治之不得其法則乃為可慮也
然散之之法當知要領其在虛寔之辯而已如痘癰之
有大毒者不得不為解毒有大熱者不得不為清熱俟
火毒略清便當調理脾氣其有外雖見熱而內本不足
者則當用托法務令元氣完固飲食不減則毒無不化

何害之有若不察根本強弱而但知攻毒清火則無不傷脾多致飲食日減營氣日削膿血不化毒日以陷而痘變百出矣所以痘瘡始末皆當以脾氣爲主苟不知此則未有中氣虛敗而痘能保全也

一痘癰初起雖盛疼痛元氣無損飲食如常者宜先用連喬歸尾煎（二百四五）或僊方活命飲（二百八四）以解其毒俟毒氣稍平即當用四君歸芪之類補以托元氣

一凡用托裏之劑如癰毒內無大熱亦無便閉煩渴等

症或素非彊盛之質或以陰毒深陷形不掀突不紅腫
不化膿痛有不甚者此其毒皆在内俱宜速用托裏之
藥以六氣煎二七加金銀草節防風荊芥白芷穿山牛旁之
類如陽氣不足者仍可加肉桂附子用酒水各半煎服
或全用酒煎亦可或托裏消毒散一七俱可酌用
一内熱晡熱而飲食少思者多屬脾胃不足血氣虛弱
宜六氣煎二七或温胃飲三九加金銀白芷
一凡痘毒色白而作痒者氣虛也治同上

一若根赤而作痒者血虛血熱也宜四物湯二七加丹皮白芷

一若腫而不潰者血氣虛也宜托裏消毒散七一或加肉桂

一若潰而不收者脾氣虛也宜六氣煎七二或六物煎六三加肉桂

一若飲食如常而內外俱熱癰毒腫痛或大小便俱熱澁者或煩渴宜大連喬飲二五或儒方活命飲二百八四可間用之

一若飲食如常內熱作痛或兼口舌生瘡者宜間用麝干鼠粘子湯四一

一痘毒發癰有結硬寔熱難解者宜排毒散十三

一痘後發癰癤者乃痘中未盡之毒留於經絡肢節而

為瘡腫也或解毒或清火各有所宜凡用表裏兼解宜柴胡麥冬散三百十欲潤膓解毒宜消毒散三百十一四順清涼飲二九欲涼血解毒宜犀角地黄湯二六欲清火利便解毒宜大連喬飲二五

目病十六條

一痘瘡入眼者此不在於初多在於收靨之辰滿面破爛重復充灌膿血膠固是以熱毒薰蒸內攻於目者或有痘毒太盛成就遲緩過用辛熱以致者在白珠子者此不必治久當自去若在黑輪上者急宜治之治法惟宜清肝火活血解毒而已活血不致於熱解

毒不致於冷用藥得宜其症漸退至於虛弱者尤忌涼劑恐致變症百出非徒無益也但調臟腑平和而再不愈乃專治之如至靨後目澁不開明暗皆然者是肝熱也如見明處則合暗處則開者謂之羞明此餘熱在於心肝或腎虛所致也若眼目昏暗眵多熱淚者此肝臟寔熱也更有風熱上攻而赤腫流血者更有瘡毒入目血熱不散兩眥皆赤痛楚難堪者更有翳膜於中者若翳生四邊散漫者易治如暴遮黑睛者多致失明至於瞳人損破

及睛突出與陷下者此皆不治也然不可用點洗之藥以致反生大害故最宜調理於未成有於將瘉之際用胭脂浸水塗眼四旁及護眼諸方皆良法也
一目者精華之所聚清陽之所走也其所以爲病者有二如赤腫暴痛紅障遮睛者此真陰不足風熱外乘病𠃔有火者也治宜先散表邪以治標次爲重濁滋水以治本則濁陰自散清陽自生目得血而能視矣如目無翳障或生白膜開目如平人視物則不見者此真陽不

是內脫精光病生於無火者也治宜大益真陽專從本治元陽得生於中精光自著於外倘徒事養血則何以為如天與日而昭光明之用哉若妄加清涼發散則豈徒損目而已此余之鄙見也　一目雖肝之竅而實五臟六腑之精氣皆上注於目故其赤脉屬心瞳子屬腎白珠屬肺黑珠屬肝睥約屬脾又太陽為上綱陽明為下綱少陽循外眥太陽出外眥此其部分各有所主故可因症以察其本也然痘瘡之病目而為翳障者多由

火炎於內而熱以生風風熱散於諸經因多紅赤腫痛之患故治者亦當察其所屬而因症以調之也

一痘之毒氣自裏達表故有目病治宜活血解毒而已活血不致熱解毒不致寒但得血活毒散則目病自愈

一痘目赤腫痛瞖障等症無不謂之風熱故古方亦多用清火散風等劑夫痘瘡之火由中生目為肝竅肝主風木而病在目故云風熱是以風生於火由內熱也故凡治目赤目痛者不必治風但治其火火去則風自息

矣何也蓋內生之風與外感之風不同外感之風升之散之則解散之而去內生之風而再加升散則火愈熾而熱愈高矣常見治目多難救而寒涼反以傷胃者正以升降相雜而用藥有不精耳經曰高者抑之果何謂乎今如古方治火眼凡用洗肝散及洗肝明目散芍藥清肝散之類總不如良方龍膽瀉肝湯二百六八而此方又不如加味龍膽瀉肝湯二百六七為得宜也一痘毒之為目翳也自臟而達外治法只宜活血解毒而已蓋活血不致發熱

解毒不致發冷五臟平和其翳自去切不可用點藥反致損睛若目閉淚出不敢見明惟黑暗處能開者此羞明症也及目中赤者並宜洗肝明目散三百十二主之若暗處亦不敢開者此目中有瘡也以望月砂散二百七四主之若能開目止視物暗不明者此血不足也宜四物湯二七加減主之然多由肝腎有虧當以地黃湯料二百三十其力更勝於四物若胞高腫而不流淚者乃脾經濕熱也當從升陽散濕

一眼中流淚赤痛或多眼眵此肝火之盛也宜清解之

以加味龍膽瀉肝湯二百六七或抽薪飲二百八十加木賊蟬蛻若大便秘結不通亦可少加大黃　一痘入眼腫痛或痘後生翳膜者宜蒺藜散二百七一蟬菊散二百七十或通神散二百六外以蓁皮散二百七二洗之　一痘目病熱少風多而昏暗澁痛眵淚羞明翳障者宜蜜蒙花散二百七五外亦以蓁皮散二百七二洗之　一痘後眼閉淚出不敢見明此內火不清而陽光爍之故畏明也宜洗肝明目散三百十二　一痘後眼皮風毒赤爛或痛或痒躁澁羞明多眵淚者蓁皮散洗之二百七二

一痘靨後精血敗耗而眼澁羞明光短倦開或生翳障者宜四物湯二七甚者六物煎六三加木賊蟬蜕白蒺藜

一用點藥者凡目中生痘或食發物或熱毒太盛上蒸目竅以致熱痛或生翳瓣切不可妄用點藥蓋其非毒即冷必致寒熱相激反以為害惟奈之金露散二百七三乃為相宜可間用之以解熱痛之急

一病目熱者最宜忌酒及椒薑牛羊雞鵝鴨一應熱物皆不可用及雞鵝鴨蛋以防連綿不愈之患

一痘後忌食鵝鴨蛋者蓋卵性寒多滯滯則毒不化流入於肝乃目痛也

一痘熱毒傷目凡必用之藥如生地芍藥麥冬山梔玄參决明連喬芩黃連肝熱者龍膽草陽明實熱者石羔石斛腎火盛者黃栢知母三陰俱熱者地骨皮火浮不降者木通澤瀉障翳不去者木賊蟬蛻蒺藜氣虛者人參黃芪血虛者當歸熟地但火炎於上者不宜升陰虛於下者不宜泄是皆治目之大法

咽痛 三條

一咽痛者雖云餘毒然症有數端有風熱咳嗽

咽喉不利者用甘桔防風湯二百四三如咽痛壯熱痘痕色赤手足皆熱者此餘毒未解也用柴胡麥冬散三百十如咽痛而大便不寔口渴飲湯手足不熱者此脾胃虛寒也宜五味異功散一九有手足指初捏似熱久捏則冷者此亦脾胃虛熱也宜人參白朮散四十

一咽痛大便黃色手足指熱發熱作渴面赤飲冷者此胃中寔熱也宜瀉黃散百二四或射干鼠粘子湯四一

一如平辰向有咽痛面色素白兩手常冷而痘後發熱

面赤作渴飲湯上熱足冷咽痛者此足三陽虛而無根之火上炎也即有暫辰足熱之症亦係陰虛火動耳凡遇此辰候而在未痘之辰便當作壯水之劑以防臨痘腰痛音啞變黑歸腎之症及既出既靨而有前候者並用八味丸煎二五與恣飲再用益氣湯一百十助其脾肺以滋化源則火退藏而自愈矣

二便秘利 二條

一痘瘡之後有因熱毒未解併於小腸而小便不通宜利之利之而不通者則宜升提清解上竅

通而下竅自利矣更莫如清肺肺氣清而下輸膀胱也尤莫若養陰腎陰得旺而自能行水也若併於大腸而大便不通者治宜下之然痘後必虛亦莫如養血腸得血而自觧也更有泄瀉者所屬有二泄瀉而能食者邪熱殺穀也口渴者邪爍津液也脉盛者內熱也脉盛而數者邪熱熾也此為熱入大腸而泄瀉宜清利之如食少不渴脉微小者此裏氣虛不能禁錮水穀也雖有小渴亦津液耗損而然治以理中湯五九加減然至痘後則氣血

大虛凡遇瀉利多從溫補寧可以不足之法治有餘惟便痂皮膿血者此熱毒入於大腸而利出宜四物湯二七加芩連之類待其利盡自愈不可誤用劫澁也

一痘後餘熱不盡內陷膀胱而小水不利者導赤散三三五苓散百四五大便不通者四順清涼飲二九

囊腫

附面目虛浮腹腫三條

一靨後陰囊腫痛胞脹如灰者是熱結膀胱也治法有三或疎肝以令展其疎泄之權或清肺以得下輸降化之職或直取膀胱清利其熱散其結氣

而兼與利水宜分虛實以投所宜實者直治本臟虛者間臟治之外用椒鹽葱頭地膚子煎湯薰洗以導散結氣可也

一痘後有面目虛浮漸至一身皆腫此由表氣不足見風太早是以風邪乘虛而入宜五皮散[百六二]加桂枝微汗之若遍身皆腫者則以胃苓湯[百六三]主之

一若腹腫脹滿氣粗脉實者此有宿垢在裏不問餘毒食積畜水並宜以塌氣丸[百六四]先利之次以胃苓湯[百六三]去甘草加腹皮參芪調之如因新食作脹而不腫者只以

木香大安凡百四三消之然痘後氣血脾元莫不大虛倘稍兼虛症便從虛治寧可以不足之法治有餘不可以有餘之法治不足

嘔吐

一痘後嘔吐者雖多主餘毒在胃然有冷熱二症如心煩作渴食乳甚急聚滿腹中而後吐出如射其人面色帶赤手足心熱居處喜涼或吐而且渴且瀉者此熱毒也如乳食水漿而隨吐其人面色青白手足俱冷二便清利及吐而不渴瀉而手足心冷者此冷吐也餘毒熱邪者十有七八胃虛挾冷者十有二三更有傷食

而嘔者但聞食臭即吐而不能食是也宜木香大安丸百四三

有渴欲飲水水入即吐者此名水逆乃邪熱挾積飲上逆也宜五苓散百四五主之

癮疹紫點風

一痘後有餘毒不散發為癮疹者癮者隱隱而成疙瘩抓搔瘙痒更多其治宜內服解毒防風湯百五二外用活蜆水以洗之若色紅而痒甚抓破出血而猶痒者紫點風也宜用荊防草胡麻生地牛旁赤芍丹皮連喬之類胡麻三十六風皆治而搔痒者非此不除其疹者皮間點點狀如蚊蚕所咬之迹或如小芥子者是也

宜内服升麻葛根湯　一不過隨其輕重疎解而已

中風　一有痘瘡方愈榮衛正虛不知避忌忽遇節令氣交而乃八方不正之氣乘虛而入病為中風遍身[illegible]柴口禁涎潮手足瘈瘲身反強直者治宜以消風散百三九二三服或有作癮疹而愈更有靨後失於調理以致陰陽偏勝或胃風寒寒鬱為熱熱盛生痰風痰攻擊心火旺甚痰乃上升迷塞心竅是以忽然心迷僕倒如癲如癇者論治不由化痰鎮心清熱然氣血大虛之後風火多由

假象宜多從根本治之先天肝腎不足者地黄丸(二百三十三主)之後天心脾不足者十全湯(一百十一主)之

痘後餘毒發熱(七條)

一痘無論疏密只要毒出得盡而無留伏其發以漸而透其收以期而淨豈尚有餘毒哉若出不能盡發不能透收不能齊其人似有餘熱或渴而腹痛吐瀉小水赤澁大便秘結精神昏憒四肢倦怠飲食減少坐卧不寧是皆餘毒未淨之症凡出之淨者作三四次出大小不一至成漿收靨之辰於瘡空中猶有

補出者此皆出之盡也若只始出一層後無補空之痘此必尚有伏也有發之透者必於手足候之蓋手足部遠氣不易達若能充托飽滿漿氣頗足可謂發之透也若只平塌不能成膿此毒雖出而未能旁達四散必有留而伏也又收之齊者自面而下痂皮潔淨中無潰爛可謂之齊也若收之太早或不成痂此必有内陷之毒凡若此者皆有餘毒須察部位經絡寒熱虛寔或補或利或解或散以平為期若治之不應不已者此壞症不可妄行攻擊

一痘後發熱不減者此有虛實二症如能食而煩渴小赤大秘者實也宜四順清涼飲二九三黄丸三一之類主之

一痘後餘毒未淨有諸熱症者惟大連翹飲二五爲最佳凡大便不秘小便不赤坐卧振搖飲食少進者虛也宜調元湯百七六或五福飲九五加芍藥之類主之

一心鑑云痘後餘毒者虛熱也虛熱多發於午後臉赤唇紅或妄言譫語切不可作實熱治宜調元湯百七六或保元湯六一加黄連熱甚者大連翹飲二五若妄用攻下使胃

氣一虛則変生他患致成壞症不可治矣

一條氏云痘後餘熱不除者當量其輕重而治之大熱則宜利小便小熱則宜解毒蓋利其小水則心火有所導引雖不用凉藥而熱無容留矣小熱宜解毒者蓋小熱不解恐大熱漸至矣利小者宜導赤散三三解毒者宜犀角地黃飲二六若但身表發熱而別無他症只宜柴胡麥冬散三百十

一餘熱者虛熱也蓋痘毒一解則陰陽俱虛痘後猶產後也所謂火從空發之義也其熱多發於午後但

觀兩臉赤色是其候也虛甚則發熱熱甚則譫語狂煩理之必然切不可誤作熱治此虛陽動作謂之強陽前後宜以保元湯六一合四物湯二七加減最要預為調理否則日久成瘡喉痛咽啞眼病瘡蝕風搐筋牽走馬牙瘡諸疾皆自此而作矣若口瘡不食吹藥不應者胃爛也不治

一痘瘡自初以來一向發熱至於痂後猶不退減者此毒在心也然亦有虛實二症如大便難小便赤能食而煩渴者此實熱也宜先解裏熱而表熱自解若大便不

秘小便不赤坐立振搖飲食不甚進者此虛熱也以保元湯天一加麥冬知母虛甚者加炒黑乾姜或熟附子少許以引火歸源

失音二條

一痘後失音其症有二有咽痛而不能言者此因毒氣結於咽喉之間乃痰壅作痛而不能言也治宜清熱化痰利咽解毒爲主更有心熱不能言者是因心中邪熱未撤腎虛不能上接青陽雖有聲而不能言也治宜清熱養心滋陰益腎以使坎離既濟也

一痘後餘毒失音其症有二一以咽痛不能言者此毒

氣不淨也宜甘桔清金散二百四一加天花粉一以胃氣虛不能上達而聲不出者宜治如前或四物湯二七加麥冬白茯苓

似癒非癒 一痘後忽寒熱如瘧如期即發者此因脾虛氣弱失於將息重感風寒蓋脾主信所以如期耳宜以柴胡桂枝湯四二發去新感表邪後以調元湯百七六加減主之更有痘後氣血兩虛是以氣虛生外寒血虛生內熱而似瘧非瘧者切忌發散惟宜大補氣血而寒熱自已也

骨節作痛 一骨節作痛俗曰痘風宜分氣血虛寔是毒

非毒是風非風虛則補氣血之劑畧佐風藥寔則用清凉之劑亦畧佐以風藥風者治風毒者解毒仍須以養血為主而風毒自化於中若治之不愈則大滋肝腎蓋骨節之所肝腎之屬也宜地黃丸主之

諸搐似驚 附厥逆二條

一痘後有非辰搐搦者亦有二症有因餘毒在心留而不去熱甚生風風火相搏者其人必喉中有痰目直上視面赤引飲居處喜冷治宜清心瀉肝為主又有病後多食而胃弱不能勝穀是以食蒸發

搐者其人則潮熱而腹滿多煩大便酸臭秘瀉不調或嘔吐腹痛治宜為之消食佐以養胃推揚穀氣而已更有手足拘攣屈伸不便者乃血耗氣虛不能榮養於筋宜用十全大補湯一百十一切忌誤作風治反耗陰血也更有痘後昏昧不解目不識人口常妄語如邪祟狀者此熱毒移入心胞絡也治宜清心調元更有身不熱口不妄但卒然喜睡狀如眩暈者此因其人食少而正氣柔弱痘出又重幸調理得當解毒得安然邪氣既解則正氣

將生乃否極泰來之象宜調元湯百七六輕輕少與燕之待其自醒不可擾亂人不知此凡見悶亂便將抱動呼喚號哭神氣一散爲不可救者多矣更有手足如冰名謂厥逆者若發於痘出正盛之辰則十無一生若於病愈氣血大虛脾胃大困者宜調元湯百七六加減用之

一痘後發厥逆者此其氣血已虛脾胃已困無恃乎其有無也宜保元湯六一或六氣煎七二或六物煎六三加桂附之類主之

咳嗽脇痛　一咳嗽者痘瘡之常症也有寒有熱有實有虛

如自初出而咳嗽至今未愈者此肺氣不斂也宜斂之潤之如咳而熱小便赤大便難或咳出血肺葉焦舉者此熱毒也宜清利之如咳而大便溏小便清身無大熱不渴者此爲虚也宜補益之若向不咳而今始咳兼有鼻流清涕等候者此風寒外感也宜疎散之更有咳嗽而兩脇疼痛者是餘毒在中而陰陽之氣不能升降也經曰左右陰陽之道路兩脇之謂也治宜但爲解毒順氣然亦有氣血兩虚陰陽不暢者宜調養氣血而所苦自已

腹痛 一痘疹未出而腹痛者癥毒內攻也至於痘後則毒出當解無復壅遏而腹痛者其症有三有因大便不通燥屎作痛者有因胃虛不能消穀而腹痛者燥屎痛者病在下焦傷食痛者病在上焦此皆手不可按也如原食少大便常潤忽爾作痛者虛寒症也此病在中焦必喜熱手摩按是也上者消之下者利之中者溫之

發渴 一痘家作渴常症也惟至痘後毒解則渴症亦當愈也如忽渴欲飲水者是心胃二經受其邪熱故乃咽

躁膈焦而然也必能食而大便秘小便赤舌躁咽乾宜人参白虎湯五二加黄連主之若食少而大小便調雖好飲而飲湯其咽舌不躁者此脾胃虚而津液不足也宜人參麥冬散二百三加減主之如身熱作渴手足微冷者是脾胃氣虚不能以行津液也宜人參白朮散四十主之如腹脹泄瀉或寒戰咬牙者是脾胃虚寒也宜十一味木香散二百二主之如泄瀉氣促手足並冷者是脾氣脫陷也宜十二味異功散九七主之

吐利蛔虫及蛔厥狐惑疳食走馬疳赤白口瘡

一痘後而吐利蛔者此熱毒入裏其虫為熱所蒸而虫熱在胃即吐蛔熱在腸即利蛔利者黄芩湯百九三加桃仁艾葉吐者黄芩半夏湯二百四四加烏梅川椒更有素不吐利者若聞食臭即吐而食已易饑也若吐蛔而手足厥冷者是為蛔厥並宜理中湯五九加烏梅川椒主之切不可投以史君子檳榔之類虫未傷而人先困也更有雖不吐利而内蝕臟腑則為狐惑之症其人好睡黙黙不欲

食如上唇有瘡則虫食其肚下唇有瘡則虫食其臟其聲啞嗄上下不安故名狐惑亦因求穀有虚虫無所食故食臟腑及肚而外見唇口也此候最惡麻痘後成者尤多治宜化䘌丸三百十三如便結者則以桃仁承氣湯百五七加梔子利之若至唇落鼻崩牙脫失聲者不治更有只於牙齒齦肉潰爛者此因痘疕脫去瘀水浸潰爲疳蝕瘡也宜用綿蠒散百三五傳之若氣臭而血出者此又名爲走馬疳瘡是由熱在陽明也宜内用黄連解毒湯四外敷

馬鳴散[二百八二]若至唇腫面浮穿鼻破頰潰喉腐肉飲食不下者不治凡口唇生瘡而赤者名曰赤口瘡熱在心脾二經也白者名曰白口瘡又曰鵝口瘡熱在心肺二經也並用洗心散[二百六九]服之大便秘者用四順飲[二九]利之然有脉微無力脾元中氣虛寒不能接納下焦陰火上浮而為口瘡者宜服附子理中湯[六十]即愈

汗症 一痘後自汗盜汗者臟肉虛衛氣弱榮血熱也治宜清心調元為主盜汗偏於養陰自汗專務補陽此其

治也若渾身如水而髮潤者或汗出如珠者皆亡陽之症治何益焉凡收靨痂脫之後自汗不止者此邪去而氣虛也宜十全大補湯百十一或調止汗散二百八二或外以活石粉撲之

失血 一痘後失血者多由餘毒熱邪迫血妄行也然因脾虛不能統血者亦有之若自鼻而出者投以玄參地黃湯百九五自溺出者則用八正散二百二八自大便出者則用桃仁承氣湯百五七先鋤其熱邪次各導血歸經而已如大便秘者則用四順清凉飲二九主之然衄者熱在衛而不動

於內溺便者熱在榮而自傷於中故衂症爲輕而溺便爲重然陰虛火動而追血妄行者宜養陰以斂之若陽虛不能攝血而妄行者宜補脾以統之勿緊用清凉也

津液不足 一夫人之有津液猶天地之有雨露海之有潮汐也天無雨露則旱海無潮汐則涸人無津液則竭甚至瘡後變症喪亡然若心胃間有熱而火炎於上乃少津液者必主煩燥喘嗽之疾若臟腑而有熱而火蘊於下乃少津液者必主狂叫閉塞之疾若脾熱而少津

液則渴瀉肺熱而少津液則咳嗽肝熱而少津液則眼羞明若風熱攻破咽喉而少津液則音啞若用藥發攣太過而少津液則潰亂若骨肉虛而少津液則肉瞤筋抽骨節疼痛治法貴分虛寔而大畧不外乎除熱生津二者而已然更有釜下無火而鍋蓋乾燥者當用水中補火之法尤為生津液之源也

狂叫喘呼　一諸躁擾狂越皆屬於火然痘後喘呼狂叫之症有二或因熱毒尚存不得發越者治宜清涼解毒

或從其勢而發之或因臟腑熱燥而無津液者治宜微加利水以導心熱蓋心火降則腎水生而諸熱自退又當兼用清熱滋陰之藥若純利其水則水去而燥熱益甚矣

疳蝕瘡 七條

一陳氏曰凡瘡已靨未愈之間五臟未寔肌肉尚虛血氣未復被風邪所搏則津液滯澁遂成疳蝕宜用雄黃散百二綿繭散百三五等劑治之而不愈多致不起

一薛氏曰前方乃解毒殺虫之劑若毒發於外元氣未傷者用之多效若元氣傷損邪火上炎者用大蕪荑湯

二百九八六味丸二百二十　一若赤痛者小柴胡湯百七二加生地

一若肝脾癖症用四味肥兒丸二百九九及人參白朮散四十更

佐以九味蘆薈丸三百

一萬氏曰凡痘後癖蝕瘡至毒壅肌肉內透筋骨外連

皮膚唇痛出血日久不瘥者此毒在脾經甚為惡候乃

不足之症也內服十全大補湯百十一外用綿繭散百三五貼之

一癖蝕出血者難治

一凡痘疹退後若有牙齦腐爛

鼻血損血者並為失血之病宜犀角地黃湯二六加山梔

末通玄參黃芩之類以利小便使熱毒下行外用神授丹(二百九三)治之不可緩也若焮瘡色白者爲胃爛此不治之症

痘後不食

一痘後別無他症而飲食不進者此惟脾氣不足宜五味異功散(一九一)或溫胃飲(三九)養中煎(二九)

論調養

一當痘後瘡胞柔嫩而未實腸胃氣弱而未強外宜謹忌風寒內宜調理飲食犯辰微若秋毫成病重如山岳節沐浴亦不宜太早太遲太早則瘢嫩易風太遲則皮燥生瘡故必須遲月餘方煎荊芥及楡槐柳艾

湯浴之忌服升麻麻黃大黃朴硝之類及器水西瓜柿梨栗橘柑子白菓酒糟芥菜葱韮薤蒜獐兔鵝鴿牛羊鮮魚生冷等物所宜食者腰子猪肉圓眼胡桃蓮肉紅棗淡薑乾菜之類其甘甜之物亦不可恣口悉戒口腹也

安培總該總何玉機助五戔　付總阮廸哲助三貫

青泥社該總武詠助五貫

夢中覺痘辛卷終

（此頁據中國國家圖書館藏本配補）

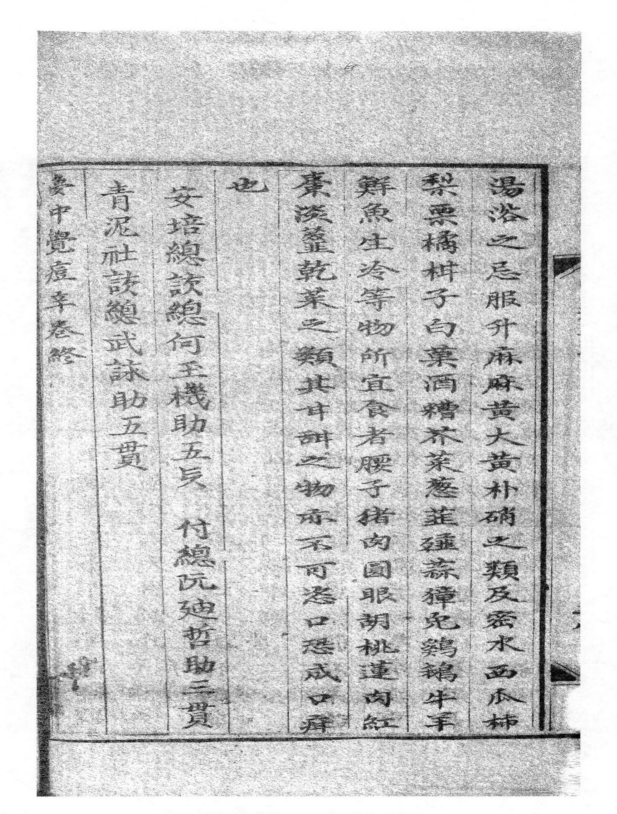